걸프 사태

대책 및 조치 1

걸프 사태

대책 및 조치 1

한국학술정보

| 머리말

걸프 전쟁은 미국의 주도하에 34개국 연합군 병력이 수행한 전쟁으로, 1990년 8월 이라크의 쿠웨이트 침공 및 합병에 반대하며 발발했다. 미국은 초기부터 파병 외교에 나섰고, 1990년 9월 서울 등에 고위 관리를 파견하며 한국의 동참을 요청했다. 88올림픽 이후 동구권 국교 수립과 유엔 가입 추진 등 적극적인 외교 활동을 펼치는 당시 한국에 있어 이는 미국과 국제 사회의 지지를 얻기 위해서라도 피할 수 없는 일이었다. 결국 정부는 91년 1월부터 약 3개월에 걸쳐 국군의료지원단과 공군수송단을 사우디아라비아 및 아랍 에미리트 연합 등에 파병하였고, 군 · 민간 의료 활동, 병력 수송 임무를 수행했다. 동시에 당시 걸프 지역 8개국에 살던 5천여 명의 교민에게 방독면 등 물자를 제공하고, 특별기 파견 등으로 비상시 대피할 수 있도록 지원했다. 비록 전쟁 부담금과 유가 상승 등 어려움도 있었지만, 걸프전 파병과 군사 외교를 통해 한국은 유엔 가입에 박차를 가할 수 있었고 미국 등 선진 우방국, 아랍권 국가 등과 밀접한 외교 관계를 유지하며 여러 국익을 창출할 수 있었다.

본 총서는 외교부에서 작성하여 30여 년간 유지한 걸프 사태 관련 자료를 담고 있다. 미국을 비롯한 여러 국가와의 군사 외교 과정, 일일 보고 자료와 기타 정부의 대응 및 조치, 재외동포 철수와 보호, 의료지원단과 수송단 파견 및 지원 과정, 유엔을 포함해 세계 각국에서 수집한 관련 동향 자료, 주변국 지원과 전후복구사업 참여 등 총 48권으로 구성되었다. 전체 분량은 약 2만 4천여 쪽에 이른다.

2024년 3월

한국학술정보(주)

| 일러두기

· 본 총서에 실린 자료는 2022년 4월과 2023년 4월에 각각 공개한 외교문서 4,827권, 76만 여 쪽 가운데 일부를 발췌한 것이다.

· 각 권의 제목과 순서는 공개된 원본을 최대한 반영하였으나, 주제에 따라 일부는 적절히 변경하였다.

· 원본 자료는 A4 판형에 맞게 축소하거나 원본 비율을 유지한 채 A4 페이지 안에 삽입하였다. 또한 현재 시점에선 공개되지 않아 '공란'이란 표기만 있는 페이지 역시 그대로 실었다.

· 외교부가 공개한 문서 각 권의 첫 페이지에는 '정리 보존 문서 목록'이란 이름으로 기록물 종류, 일자, 명칭, 간단한 내용 등의 정보가 수록되어 있으며, 이를 기준으로 0001번부터 번호가 매겨져 있다. 이는 삭제하지 않고 총서에 그대로 수록하였다.

· 보고서 내용에 관한 더 자세한 정보가 필요하다면, 외교부가 온라인상에 제공하는 『대한민국 외교사료요약집』 1991년과 1992년 자료를 참조할 수 있다.

| 차례

정 리 보 존 문 서 목 록

기록물종류	일반공문서철	등록번호	2017040028	등록일자	2017-04-11
분류번호	721.1	국가코드	XF	보존기간	영구
명 칭	걸프사태 : 대책 및 조치, 1990-91. 전11권				
생 산 과	중동1과/북미1과	생산년도	1990~1991	담당그룹	
권 차 명	V.1 1990.7월-8.14				
내용목차	8.2 이라크.쿠웨이트 사태에 관한 외무부 대변인 성명 발표 8.9 유엔 안보리 결의 661호 관련, 대 이라크 경제제재 조치 결정				

0001

長官報告事項

報告畢

1990. 7 . 20.
中東.아프리카局
中近東課(24)

C8/

題目 : 이라크, 쿠웨이트間 産油紛爭

> 이라크와 쿠웨이트間 産油 紛爭이 激化되고 있는바, 關聯事項을 다음과 같이 報告 드립니다.

1. 狀 況

이라크 및 쿠웨이트는 산유분쟁 관련, 각기 상호 강경 비난 및 아랍연맹 중재를 촉구

- 이라크측 : - 쿠웨이트의 이라크 영토 불법점령 및 석유채굴에 의한 재산손실 야기(24억불 상당) 주장
  - 쿠웨이트의 산유정책이 이라크 경제를 파괴하고, 아랍권의 힘을 약화시키고 있음을 규탄
  - 후세인 대통령의 대쿠웨이트 비난 연설 및 아랍연맹에 동 타결 촉구 서한 발송(7.17)
- 쿠웨이트측 : - 이라크의 쿠웨이트 영토 침입 및 영내 석유 채굴 주장으로 역 공격
  - 아랍연맹에 중지요청 긴급서한 발송 및 각료 3명 파견, 반이라크 외교활동 모색 (7.18)

0002

2. 背 景

최근 쿠웨이트등 걸프만 산유국의 원유 초과 생산에 대한 이라크 불만 고조

- ㅇ 쿠웨이트 등의 원유 생산량 쿼타 불 준수로 유가 하락 촉진
- ㅇ 최근 유가 침체로 이라크 재정 압박 가중

3. 分析 및 評價

- ㅇ 이라크 국내정치 불안에 대한 국민의 관심을 국외로 돌리려는 책략
  - 후세인의 종신 대통령제에 의한 장기 집권 기도
- ㅇ 쿠웨이트와의 국경분쟁 및 유가문제 관련 이라크에 유리한 입지 확보 의도
  - OPEC 회의 제시 유가보다 높은 유가 요구 관철 목표
  - 쿠웨이트에 대한 군사적 압력
- ㅇ 최근 쿠웨이트, 이란관계 강화 움직임에 대한 이라크의 견제
- ㅇ 아랍권 주도국으로서 이라크의 걸프역내 영향력 실증 의도

4. 展 望

- ㅇ 산유분쟁으로 양국관계 악화가 예상되나, 결국 이라크 요구에 쿠웨이트의 상당한 양보 가능성이 큼. 끝.

0003

報告畢

長官報告事項

1990. 8 . 2 .
中東.아프리카局
中近東課(27)

題目 : 이라크, 쿠웨이트 침공

> 이라크와 쿠웨이트간의 산유 및 국경 분쟁 해결을 위한 양국 회담이 결렬된 후, 이라크가 쿠웨이트를 침공 하였는바, 관련사항을 다음과 같이 보고 드립니다.

1. 상 황

- o 90.8.2. 새벽2시(한국시간 상오 8시) 이라크군 2개 사단 병력, 쿠웨이트 국경지대 압달라 지역 침공 개시
- o 이라크군 쿠웨이트 국왕 왕궁 포위 및 쿠웨이트 정부 청사 완전 장악
- o 이라크 혁명위 성명 발표
  - 이라크의 쿠웨이트 침공은 자유 쿠웨이트 임시 정부의 요청에 의한 것임
  - 이라크군은 사태 정상화 여부에 따라 수일 또는 수주내에 철수할 예정

※ 아국 교민 피해 전무 (8.2. 현지공관 보고 및 통화)

2. 배 경

- o 양국간 산유 분쟁으로 상호 강경 비난 및 아랍연맹 중재 촉구(7.17)
  - 쿠웨이트내 "루마일라" 유전 지역을 이라크 영토라고 주장
- o 이집트.사우디 중재로 양국 회담 개최, 이라크 요구에 대한 쿠웨이트측 수락 거부로 회담 결렬(8.1. 젯다)

0004

○ 이라크 국내 경제 피폐 및 종신 대통령제에 대한 국민 불만 고조

3. 주요 국가 반응

○ 미 국 : - 이라크의 쿠웨이트 침공 비난 및 이라크 군대의 무조건 철수 요구

- UN 안보리 긴급 회의 소집 요구 (90.8.2.)

○ 호 주 : - 이라크의 쿠웨이트 침공 비난 및 이라크군 철수 요구

4. 분석 및 전망

○ 이라크의 금번 쿠웨이트 침공은 걸프 역내의 패권 장악 시도

○ 이라크의 대 쿠웨이트 부채 탕감 및 일부 영토 요구를 관철 시킬 것으로 봄

○ 국제 원유가 상승 예상

○ 국제적 관심 고조로 군사 행동 사태 장기화 되지 않을 것임

○ 아랍권 전체와 원유 공급선등 중요성에 비추어 본질문제 해결은 많은 난관이 예상됨

5. 당부 조치 사항

○ 주 이라크 및 쿠웨이트 대사관에 아국 교민 안전 대책 강구 및 사태 진진 사항 보고 지시 (90.8.2.)

○ 주요 국가의 반응 및 사태 판단 파악 지시 (주요 공관)

○ 공관 조치 사항

- 쿠웨이트 건설현장 인원을 캠프로 철수 (시내 출입 제한)
- 비상 연락망 유지, 비상시 철수 계획 점검

0005

〈참 고 자 료〉

1. 대 이라크.쿠웨이트 아국 진출 현황

가. 이라크

1) 건설현황

- o 진출건설업체 : 현대, 삼성, 정우, 한양, 대림, 남광, 동아 (7개 회사)
- o 총 건설 수주 누계(81-89) : 6,439 백만불

2) 교역현황

- o 진출상사 : 현대, 삼성, 대우, 국제상사, 선경, 효성(6개상사)
- o 수출액(89) : 67 백만불(고무제품, 섬유류, 철강류등)
  수입액(89) : 63 백만불(원유 〈99%〉)

3) 교 민 : 621 명 (근로자 포함)

나. 쿠웨이트

1) 건설현황

- o 진출건설업체 : 현대, 대림, 효성중공업(3개 회사)
- o 총 건설수주 누계 (81-89) : 2,110 백만불

2) 교역 현황

- o 수출액 (89) : 210 백만불(선박, 견직물, 전기기기, 철강)
- o 수입액 (89) : 381 백만불(원유, 구리제품)

3) 교 민 : 706명 (근로자 포함)

0006

2. 이라크, 쿠웨이트간 군사력 비교 (89 90)

군별 국가명	이 라 크	쿠 웨 이 트
총 병력	1,850,000 명 (예비군 85만명 포함)	40,000 명 (예비군 2만명 포함)
육 군 (전 차) (각종 포 및 미사일)	955,000 명 6,600 대 4,034 문	16,000 명 625 대 400 문
해 군 (군 함)	5,000 명 100 척	2,100 명 55 척 (잠수함 2척 포함)
공 군 (전투기)	40,000 명 597 대	22,000 명 115 대
인구 및 면적	1,780 만명 44,000 ㎢	203 만명 17,818 ㎢

0007

관리 번호	90/1140

분류번호	보존기간

발 신 전 보

번 호 : WNR-0212 900802 2038 DA 종별 : 지급

수 신 : 주 장 관 ~~대사/총영사~~ (주 노르웨이 대사 경유)

발 신 : 장 관 대리 (중근동)

제 목 : 이라크, 쿠웨이트 침공

이라크와 쿠웨이트간의 산유 및 국경 분쟁 해결을 위한 양국 회담이 결렬된 후, 이라크가 쿠웨이트를 침공 하였는바, 관련사항을 다음과 같이 보고드림.

1. 상 황

o 90.8.2. 새벽2시(한국시간 상오 8시) 이라크군, 쿠웨이트 국경지대 압달라 지역 침공 개시

o 이라크군 쿠웨이트 왕궁 및 쿠웨이트 정부 청사 완전 장악 (주 유엔 미 대사 언급 : 국왕 및 왕세자 안전)

o 이라크 혁명위 성명 발표

- 이라크의 쿠웨이트 침공은 자유 쿠웨이트 임시 정부의 요청에 의한 것임
- 이라크군은 사태 정상화 여부에 따라 수일 또는 수주내에 철수할 예정

※ 아국 교민 피해는 현재까지 없음 (8.2. 현지공관 보고 및 통화)

2. 주요 국가 반응

1) 미 국 : - 이라크의 쿠웨이트 침공 비난 및 이라크 군대의 무조건 철수 요구
- 미국내 쿠웨이트 자산 동결 조치

2) 영 국 : - 군사행동 비난, 동 군사 행동 즉각 중단, 군대 철수 요구

/ 계속 ....

보안 통제	

앙고재	90년 8월 2일	중근동	기안자 성명		과 장		국 장		차 관	장 관

외신과통제

0008

3) 일 본 : - 이라크의 쿠웨이트 침공에 유감 및 사태 진전에 깊은 관심 표명, 군대철수요구

4) 호 주 : - 이라크의 쿠웨이트 침공이 무력이 아닌 평화적으로 해결 희망

5) U N : - 안보리 긴급 소집 회의 개최 예정

6) 아랍연맹 및 OIC : - 동 사태 토의 긴급 회의 소집

7) 이스라엘 : 이라크의 쿠웨이트 침공이 걸프만내에 극한 위험상태 유발할 것임을 표명

3. 당부 조치 사항

o 사태 보고서 청와대 송부

o 주 이라크 및 쿠웨이트 대사관에 아국 교민 안전 대책 강구 및 사태 진전 사항 보고 지시

o 주요 국가의 반응 및 사태 판단 파악 지시 (주요 공관)

o 정부 공식 입장 발표문안 검토중(각국 반응 종합후 별첨안 발표 예정)

o 공관 조치 사항

- 쿠웨이트 건설현장 인원을 캠프로 철수 (시내 출입 제한)

- 비상 연락망 유지, 비상시 철수 계획 점검

※ 참고사항

o 주한 미 대사관, 이라크군의 무조건 즉각 철수 촉구 성명 발표 요청 (및 한국내 쿠웨이트 자산 동결 협조)

첨부 : 발표 문안. 끝.

(중동아프리카국장 이 두 복)

예 고 : 90.12.31. 일반

0009

외무부. 대변인 성명

1. 대한민국정부는 이락군대에 의한 쿠웨이트 영토 내에서의 군사적 행동과 관련한 걸프지역 내의 사태진전에 깊은 우려를 표명한다.

2. 대한민국은 이락과 쿠웨이트에 다같이 우호적 관계를 유지하고 있는 바, 양국간의 분쟁이 무력이 아닌 평화적 방법으로 해결되기를 강력히 희망한다.

3. 또한 대한민국정부는 이락군이 가능한 한 조속히 쿠웨이트영토로부터 철수하기를 바란다.

0010

이라크.쿠웨이트 사태에 관한

WKU-0160 외무부 대변인 성명

1. 대한민국 정부는 이라크 군대에 의한 쿠웨이트 영토내에서의 군사적 행동과 관련한 걸프 지역내의 사태 진전에 깊은 우려를 표명한다.

2. 대한민국은 이라크 및 쿠웨이트와 다같이 우호적 관계를 유지하고 있는바, 양국간의 분쟁이 무력이 아닌 평화적 방법으로 해결되기를 강력히 희망한다.

3. 또한 대한민국 정부는 이라크군이 가능한 한 조속히 쿠웨이트 영토로 부터 철수하기를 바란다.

0011

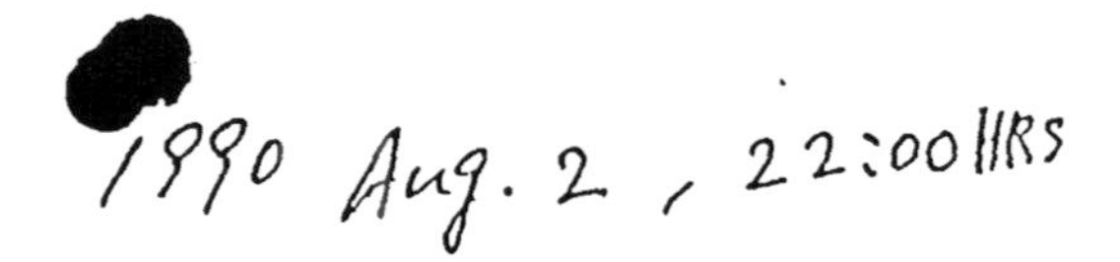

Statement by Foreign Ministry Spokesman
R.O.K. Government

The Government of the Republic of Korea is deeply concerned over the developments of situation in the Gulf area involving military action by the Iraqi troops into the Kuwaiti territory.

Both Iraq and Kuwait are friendly countries of the Republic of Korea and the Korean Government strongly wishes that the disputes existing between the two countries will be resolved not by force, but through peaceful means.

The Government of the Republic of Korea wishes that the Iraqi forces be withdrawn from the Kuwaiti territory as soon as possible.

0012

관리번호 90/1299

분류번호	보존기간

발 신 전 보

번 호 : WJAM-0036 900803 1434 ER 종별 :

수 신 : 주 전재외공관장 대사.총영사 (아랍권제외) WUSM-0037 WLTM-0027 WEUM-0026 WCNM-0015 WAAM-0025 WAFM-0027

발 신 : 장 관 대리 (중근동) W11G-606

제 목 : 이라크, 쿠웨이트 사태에 관한 외무부 대변인 성명 WPD-469

아국은 이라크·쿠웨이트 침공관련, 8.2. 별첨과 같이 외무부 대변인 명의 설명을 발표하였는바, 아측입장에 대한 문의가 있을시 이를 참조, 설명바라며, 주재국 특이 반응 있으면 보고바람.

첨 부: 성명문 1부. 끝.

(중동아국장 이 두 복)

1990. 12. 31. 에 예고문에 의거 일반문서로 재 분류됨.

보안 통제	

앙고재	90년 8월 3일	중근동과	기안자 성명		과 장		국 장		차 관	장 관

외신과통제

0013

WHG-0606 900803 1435 ER

WPD -0469

0014

관리 번호	90/1203

	분류번호	보존기간

발 신 전 보

번 호 : WMEM-0024 900803 1113 AO 종별 :

수 신 : 주 대사/총영사 (사본: 노재원 특사)

발 신 : 장 관 대리 (중근동)

제 목 : 이라크, 쿠웨이트 사태에 관한 외무부 대변인 성명

1. 표제 사태 관련, 아국은 한.이라크 및 한.쿠웨이트 기존 우호 관계를 고려, 우리의 일반적 기본 입장을 표명하는 성명을 별첨과 같이 외무부 대변인 명의로 8.2. 발표 하였음.

2. 성명 3항. 이라크군대의 쿠웨이트 영토로 부터의 철수 문제는 이라크 혁명 위원회에서도 철군 용의를 표명하는 성명을 발표한바 있으며, UN 안보리가 즉각 무조건 철수를 결의한데 비하여 아국은 제반사정을 고려 단순한 철수를 희망하는 성명을 내게 되었으며, 미국측도 아국에 동 내용을 포함하는 성명을 발표해 줄것을 요청해 왔음을 참고 바람.

3. 동 관련, 아측 입장에 대한 문의가 있으면 상기 참조 설명하고 주재국의 특이 반응 있을시 보고 바람.

첨 부 : 성명 문안 1부. 끝.

1990. 12. 31. 에 예고문에 의거 일반문서로 재 분류됨.

(중동아프리카국장 이 두 복)

앙고재	90년 8월 3일	중근동과	기안자		과 장		국 장		차 관	장 관

보안통제	외신과통제

0015 ~~0014~~

22:00 hrs., Aug. 2, 1990

Statement by Foreign Ministry Spokesman
R.O.K. Government

The Government of the Republic of Korea is deeply concerned over the developments of situation in the Gulf area involving military action by the Iraqi troops into the Kuwaiti territory.

Both Iraq and Kuwait are friendly countries of the Republic of Korea and the Korean Government strongly wishes that the disputes existing between the two countries will be resolved not by force, but through peaceful means.

The Government of the Republic of Korea wishes that the Iraqi forces be withdrawn from the Kuwaiti territory as soon as possible.

0016

이라크의 쿠웨이트 침공 관련, 각국 반응

미 국 : - 이라크의 쿠웨이트 무력 침공 비난 및 이라크 군대 무조건 철수 요구
- UN 안보리 긴급 소집 요구
- 미 군함의 걸프만 파견
- 모든 선택 방안 검토중

소 련 : - 이라크의 쿠웨이트 침공 지역인 걸프역내 사태에 예의 주시

영 국 : - 이라크 군사의 비난 및 이라크군 즉각적 철수 요구

일 본 : - 이라크의 쿠웨이트 침공에 유감 및 사태 진전에 깊은 관심 표명
- 이라크.쿠웨이트간 분쟁이 무력이 아닌 평화적으로 해결되길 희망

호 주 : - 이라크의 쿠웨이트 침공 비난 및 이라크군 철수 요구

이스라엘 : - 이라크의 쿠웨이트 침입이 페만내 극한 위험상태를 유발할 것임을 표명

이 집 트 : - 이라크의 쿠웨이트 침공 사태 토의 위한 아랍연맹 긴급 소집 요구

사 우 디 : 동 사태 토의 위한 GCC 6개 회원국 소집

U N : 안보리 긴급 소집, 회의 개최 예정

아랍연맹 및 OIC : 동 사태 토의 위한 회의 소집 예정

0017

이라크, 쿠웨이트 침공 관련
관계부처 대책 회의 자료

1990. 8. 3.

외 무 부

0018

회 의 자 료

제 목 : 이라크, 쿠웨이트 침공

1. 경 위

- o 90.7.17. 후세인 대통령, 쿠웨이트, UAE 원유 쿼타 초과 비난
- o 7.18. 이라크, 쿠웨이트가 "루마일라" 유전에서 24억불 원유 도굴 주장
- o 7.20. 쿠웨이트, 이라크가 채무 불이행 목적이라고 주장
- o 7.25. 이집트.사우디 중재로 회담 개최 발표
- o 7.26. OPEC 유가 인상 합의
- o 7.31. 쿠웨이트.이라크 젯다 회담
  이라크 10만 병력 쿠웨이트 국경 집결
- o 8. 1. 젯다 회담 결렬
- o 8. 2. 이라크 새벽 2시 침공(한국시간 상오 8시)

2. 상 황

- o 90.8.2. 새벽 2시 이라크, 쿠웨이트 침공
- o 이라크군, 쿠웨이트 왕궁 및 정부청사 완전 장악
- o 쿠웨이트 국왕 및 왕세자겸 총리 8.2. 헬기편 사우디로 피신
- o 미 항공모함 "인디펜던스"호 걸프만 이동
- o 유엔 안보리 긴급 회의 소집 (8.2)
  - 이라크군 즉각 철수 요구 결의

0019

3. 배 경

1) 이라크 요구사항
   o 쿠웨이트 OPEC 쿼터 준수 요구
   o 루마일라 유전 도굴 24억불 보상 요구
   o 국경지역 일부 영토 "부비얀" 섬 99년 조차 요구
   o 이.이 전비 250억불 외채를 쿠웨이트에 탕감 요구
2) 이라크 국내 경제 피폐 및 종신 대통령제에 대한 국민 불만 고조

4. 각국 반응

o 미 국 : - 이라크의 쿠웨이트 무력 침공 비난 및 이라크 군대 무조건 철수 요구
- UN 안보리 긴급 소집 요구
- 미 군함의 걸프만 파견
- 모든 선택 방안 검토중

o 소 련 : - 무조건 쿠웨이트 점령 이라크군 즉각 철수 요청

o 영국,불란서 : - 이라크 군사 행동 비난 및 이라크군 즉각적 철수 요구

o 일 본 : - 이라크의 쿠웨이트 침공에 유감 및 사태 진전에 깊은 관심 표명
- 이라크.쿠웨이트간 분쟁이 무력이 아닌 평화적 방법으로 해결 되길 희망

o 카 나 다 : 침략 행위 규탄, 전투 중지 및 전면 즉각 철수

o 호 주 : - 이라크의 쿠웨이트 침공 비난 및 이라크군 철수 요구

o 이스라엘 : - 이라크의 쿠웨이트 침공이 걸프만 지역내 위협 상태를 유발할 것임을 표명

0020

o 이 집 트 : - 이라크의 쿠웨이트 침공 사태 토의 위한 아랍연맹 긴급 소집 요구

o 인 도 : - 사태 추이 관망후 논평 예정

o 사 우 디 : - 동 사태 토의 위한 GCC 6개 회원국 회의 소집

o 유 고 : 이라크 규탄, 즉각 철수 및 협상 촉구 (비동맹 의장 자격)

o U N : - 안보리 긴급 소집, 회의 개최

o 아랍연맹 : - 동 사태 토의 위한 회의 소집 예정

o O I C : - 이라크 침공 규탄 합의 실패

5. 아국과의 관계

가. 이 라 크

o 건설현황

- 진출건설업체 : 현대, 삼성종합, 정우개발, 한양, 대림, 남광토건, 동아건설

- 총 건설 수주 누계(81-89) : 6,439 백만불 (시공액 : 13건 22억8천만불)

잔액 : 8억 4백만 //

o 교역현황

- 진출상사 : 현대, 삼성, 대우, 국제상사, 선경, 효성(6개상사)

- 수출액(89) : 67 백만불 (고무제품, 섬유류, 철강제품등)

수입액(89) : 63 백만불 (원유)

o 교 민 : ~~621~~ 1618 명 (근로자 포함)

나. 쿠웨이트

o 건설현황

- 진출건설업체(약 350명) : 현대, 대림, 효성중공업

- 총 건설 수주 누계(81-89) : 2,110 백만불 (시공액 : 4건 2억3천2백만불)

잔액 : 4천1백 7천9 //

0021

o 교역현황

- 수출액(89) : 210 백만불 (선박, 견직물, 전기기기등)
- 수입액(89) : 381 백만불 (원유)

o 교 민 : 648 명 (근로자 포함)

다. 유가에 미치는 영향

1) 유가 급등

o 7.27. OPEC 총회의 공시유가 3달러 인상으로 유가 상승
  - 브렌트 유가 ; 배럴당 16.49 (4월 평균) → 20.40 달러

o 이라크의 쿠웨이트 침공으로 8.2 오전 하루만에 유가 급등
  - 북해 브렌트유 현물가격 : 배럴당 20.40 → 23.50 달러
  - 두바이유 현물가격 : 배럴당 17.30 → 18.80 달러

2) 유가 전망

o 단기전망

  분쟁 지속시 두바이 유가가 배럴당 20달러 정도로 유가 상승 예상 (일본 석유회사)

o 중장기 전망
  - 세계 재고량(약 135 천만배럴)과 이라크, 쿠웨이트 생산비중 (OPEC 생산량중 약 1/5)에 비추어 유가 급등 문제는 사태 추이에 좌우될 것임
    . 자유세계 일일 소비량 : 5,300만 배럴

3) 대 책

o 아국의 석유 수급 대책
  - 90.8월 현재 83일분 비축물량 확보로 유가 급등 및 단기 공급 차질에 대처 가능 (일본 비축물량, 180일분)

o 장기적인 유가 상승 대책 수립 필요
  - 원유 도입선 다변화
    (90.1-5월 이라크.쿠웨이트산 석유 도입 비중 12%)
  - 원유 및 가스 개발 도입 확대
  - 비축물량 확대

0022

- 대체 에너지 개발 통한 석유의존도 완화
  (89년 소비량 79.6천 B/D로 전년대비 13.9% 증가)

6. 조 치 사 항

o 사태 보고서 청와대 송부

o 주 이라크, 쿠웨이트 대사관에 아국 교민 안전 대책 강구 및 사태 진전사항 보고 지시
  - 아국 교민 피해상황 접수
    . 미 귀환자 : 현대건설 소속 근로자 3명
      (송전선로공사 현장, 조준택, 노재항 연락 불통,
      이라크군 사령부 영내 김영호 억류)

o 주요 국가 반응 및 사태 파악 지시 (주요공관)

o 정부 공식 입장 성명 발표 (각국반응 종합후)
  - 주한 미 대사 : 이라크군의 무조건 즉각 철수 촉구, 한국내
    쿠웨이트 자산 동결 협조 요청

o 공관 조치 사항
  - 쿠웨이트 건설 현장 인원을 캠프로 철수
  - 비상연락망 유지, 비상시 철수 계획 점검

7. 분 석

(이라크의 의도)

o 이라크는 소련의 후퇴를 기회로 걸프지역 패권 장악 시도

o 이라크의 새로운 걸프만으로의 진출 확보
  - 쿠웨이트령 부비얀섬 조차 요구
  - Shat Al Arab 수로 개통 전망 불투명

o 이라크와 쿠웨이트의 원유 매장량을 동시 장악하여 세계 유가 조작
  (세계 총매장량의 25% 이상)

o 이라크 국내 정치, 경제 문제 타개책

o 사우디의 지도력에 대한 도전 (사우디 영향하에 있던 쿠웨이트를 이라크 영향하 두므로써 GCC 역내 영향력 확대)

0023

8. 전　　망

o 외교적 경제적 해결 방안 탐색
  - 아랍제국의 군사적 대처 능력 없음
  - 미국의 군사적 개입 난망
  - 미.소가 해결에 협조 예상

o 이라크군 점령 장기화 가능성
  - 쿠웨이트에 친이라크 정권 수립이 철수 관건

o 궁극적으로 이라크 요구 대폭 충족 예상
  - 후세인 대통령의 경직성으로 타협 난망
  - 장기화 경우 사태 해결을 위한 국제 압력 가중시

o 장기적으로는 미국등 강대국들의 이라크에 대한 압력으로 패권 유지에 한계

9. 중동사태에 미치는 영향

o 이스라엘의 경계심 고조로 긴장 조성 예상

o 팔레스타인 문제 해결 노력 냉각

o 부비얀섬의 조차가 실현될 경우 이라크.이란간 화해 가능성 증대

0024

참 고 자 료 (쿠웨이트)

가. 통 상

(단위 : 백만불)

	84	85	86	87	88	89
수 출	256	205	211	188	341	210
수 입	482	523	215	159	205	381

o 주요 수출품 : 선박, 견직물, 전기기기, 철강, 고무제품, 기계류

o 주요 수입품 : 원유, 구리제품, 철강, 알미늄제품, 연제품(Lead)

나. 건설 수주 실적

(단위 : 백만불)

년도	76-82	83	84	85	86	87	88	89
액수	2110	130	214	340	15	49	95	90

o 진출업체(약 350명) : 현대건설, 대림산업, 효성중공업

o 시공잔액 : 2억 3천 2백만불 (4건)

다. 인력 진출 현황

(단위 : 명)

연도	82	83	84	85	86	87	88	89	90.7.
인원	10,409	5,577	4,227	3,817	4,229	2,505	707	706	648

라. 원유 도입 현황

(단위 : 천 Bbl, %)

년 도	82	83	84	85	86	87	88	89	90.7.
도입량	19,827	19,708	14,970	17,520	13,207	9,693	9,465	12,544	14,700
점유율	12.1	11.8	8.7	10.7	5.7	4.5	3.6	4.8	7.6

※ 내수기준(비축용 및 재수출용 원유 도입 재외)

0025

마. 교민 현황 (90.7.31. 현재)

o 체류자 현황 : 648명

- 체류자의 대부분이 근로자임

o 단체 조직 현황

- 한인회('75.5. 창립, 회장 : 이수영)
- 건설지사 협의회('76.5. 창립, 회장 : 전재연)
- 한인학교('81. 개교)

0026

이라크.쿠웨이트 사태에 관한 외무부 대변인 성명

1. 대한민국 정부는 이라크 군대에 의한 쿠웨이트 영토내에서의 군사적 행동과 관련한 걸프 지역내의 사태 진전에 깊은 우려를 표명한다.

2. 대한민국은 이라크 및 쿠웨이트와 다같이 우호적 관계를 유지하고 있는바, 양국간의 분쟁이 무력이 아닌 평화적 방법으로 해결되기를 강력히 희망한다.

3. 또한 대한민국 정부는 이라크군이 가능한 한 조속히 쿠웨이트 영토로부터 철수하기를 바란다.

0027

EMBASSY OF THE REPUBLIC OF KOREA
BAGHDAD, IRAQ

尊敬하는 柳宗夏 次官님 閣下,

금번 次官님의 아주. 구주 순방여정에는 큰 外交的 成果와 보람이 있었으리라 確信합니다. 또한 次官님의 귀중한 순방으로 公館員들의 사기도 많이 진작되었으리라 믿사오며 그 측면에서도 中東地域 公館에 次官님께서 一次 왕림해 주심이 꼭 必要하리라 사료됩니다.

中東의 불볕 더위속에서도 약 1個月間 아슬아슬한 戰雲이 감돌다가 드디어 8.2. 05:00시 열전으로 화하고 말았읍니다. 탐욕의 인성과 구태의연한 "구 사고"의 표출이라 볼수 있읍니다.

0028

EMBASSY OF THE REPUBLIC OF KOREA
BAGHDAD, IRAQ

한 지역 公館근무에 두번의 國際紛爭을 경험
하게 희귀하고 기주한 인연인듯 합니다. 금번
사태를 현지에서 보는 시각은 아래와 같사오니
次官님의 政策결정에 참고하시기 바라나이다.

1. 금차 이라크의 쿠웨이트 침공은 OPEC의 유가인상
과 쿠웨이트 초과생산 경고등에 원인이 있는듯
하나 이것은 명분과 구실에 불과합니다.
가장기본적인 원인은 후세인 大統領의 패권
경쟁에 있어 힘의 과시로 소위 본때를 보여
주려는 발상이였다고 봅니다.

2. 또 큰 원인은 후세인의 장기집권 축배기반
강화로 볼수 있읍니다. 國內政治에서 최근
이라크 의회가 제의한 후세인의 "平生 대통령제
추대"를 수용키 위한 대국민등 "카리스마" 이메이
지 부각의 발상이였읍니다.

3. 실제로 후세인은 이.이戰 종료후 부터 ACC 결성등
자신의 정치력을 보강한후 90.5.28-30 긴급

0029

아랍정상회담을 바그다드에서 소집하여 그 機會에 전 아랍족의 패권선언을 자신이 스스로 했읍니다.

4. 그 당시 아랍제국 지도자들은 대부분 그의 패권 선언을 묵시적으로 시인했읍니다. 허나 금번 후세인의 무모한 무력침공 발생으로 전 아랍 세계가 분열될듯한 조짐입니다.

5. 이라크는 中東에서 軍事的으로 最大强國으로 부상했읍니다. 군사력 110万名, 전투폭격기 1080대 (미라쥬 50기), 신형 전차 5500대, 다량의 화학무기, 미사일 유도탄, 전투경험 8年으로 당장 전쟁이 일어날수 있는 태세로 中東 어느 국가도 힘으로 제압할수 있다고 믿고 있읍니다. (에집트 60万 군대로 전투경험 부족으로 비교가 되지 않음).

6. 후세인 패권선언의 대명분은 아랍의 公敵 이스라엘에 대한 아랍의 安全保障을 지키겠다는 것입니다. 현재관계가 좋지 않는 시리아를 포함해서 어느 아랍제국이든 이스라엘의 침공을 받을시에는 즉각

EMBASSY OF THE REPUBLIC OF KOREA
BAGHDAD, IRAQ

화학무기로 보복하겠다고 공공연히 선언하고 있읍니다. 이로인해 이라크는 미국등 서방과의 관계가 악화되고, 금번 "쿠"침공시에도 이스라엘의 공격을 두려워 하고 있었읍니다.

7. 현재 이라크는 東歐의 변화에 지대한 쇼크를 받고 있읍니다. 兩側은 同一한 사회주의 국가로 존속한 경제적 유대관계를 오랫동안 유지해 왔으나 最近 東歐가 西歐와 정상관계를 유지함에 따라 그 관계가 급작히 소원해 지고 있읍니다 (특히 '90年初 폴란드등이 이스라엘과 국교 재개로).

8. 유가인상의 정치적 음모가 활발히 진행되고 있읍니다. '91年경엔 유가파동의 조짐이 보입니다. 후세인 대통령이 $25, 라프산자니가 $20을 인상 요구하면서 지난 준비회담에서 양국이 의기투합했읍니다. 史上 처음있는 일입니다.

EMBASSY OF THE REPUBLIC OF KOREA
BAGHDAD, IRAQ

閣료의 協議으로 유가 연말시한부 $21을 결정 했읍니다. 이 과정에서 쿠웨이트는 이라크에 원유 도굴 및 초과생산과량 배상금으로 24억$ 지불설이 있읍니다. 이라크는 $210억을 요구하여 파경이 되었음.

이라크 政府는 국민들에게 "항시 피난갈 준비를 하라"고 지시를 해 놓고 있으니 (미국과 이스라엘, 쿠웨이트 지원군 보복공격 대비), 我公館에 교민들로 피난을 어디로 가야 하느냐고 문의가 쇄도하고 있는 가운데, 공항은 일찍부터 (8.2) 폐쇄중에 있는 形便입니다.

현재 바그다드 市內는 예비군 동원령과 통행 금지령이 내려져 市內는 철시를 한듯 고요하며, 식당, 큰 Hotel 음식점이 門을 닫고, 食品들이 더욱 희소하게 되어 市民들 生活고 어려움이 가중되는듯 합니다.

次官님 [illegible] 하시기 기원하오며, 오늘은 이만 중간보고로 此筆 줄이나이다.

8.4.

駐이라크 大使館
小生 權 [illegible] 公使배상.

0032

이라크, 쿠웨이트 侵攻 (續)

1990. 8. [5]

外 務 部

0033

이라크의 쿠웨이트 侵攻 關聯, 事態 進展 事項을 아래와 같이 報告 드립니다.

狀 況

o 이라크軍 8.5. 午後 2時 (한국시간) 쿠웨이트로 부터 撤收 開始
  - 段階的 撤收로 時限 不明

o 이라크軍 兵力, 사우디 國境 中立地帶 集結

o 쿠웨이트 臨時政府 組閣 發表 (명단 별첨)
  - 閣僚 大多數가 이라크人 인것으로 알려짐(쿠웨이트 현지 보고)
  - 民衆軍 創設(이라크군 10만명 지원)
  - 자베르 國王 및 王家 復舊 不許
  - 前 쿠웨이트 國會議長 同調 拒否로 이라크軍이 處刑 (8.4)

o 美國, 對 이라크 武力 使用 警告 및 强力 對處 闡明
  - 이라크가 다른 國家 侵犯할 경우 武力 使用 示唆 (8.3)

o 緊急 아랍 頂上會談(8.5 젯다) 쿠웨이트 代表權 問題로 無期 延期

o 이라크, 美國의 攻擊에 對備, 市內 호텔에 美·英·佛人을 投宿시키고, 現地人 疎開

o 이라크側, 抑留 美國人 11名 釋放, 對美 宥和 제스처

0034

各國 反應 및 制裁 措置

o 政 治 : 美.蘇 外相, 이라크軍 撤收 促求 共同 聲明 發表
蘇聯, 이라크軍隊 撤收 要求 特別 書翰 送付
OIC (이슬람 회의 기구), 이라크軍 撤收 促求

o 經 濟 : 美, EC 諸國, 日本等 쿠웨이트 資産 凍結 및
이라크産 原油 全面 輸入 中止

o 軍 事 : 美國, "인디펜던스" 航空母艦 및 戰艦 14隻 外에 "사라토가"
航空母艦 및 戰艦 地中海로 發進
美.蘇.EC 諸國等 對 이라크 武器 販賣 禁止

僑 民 現 況

o 在 이라크 僑民 621名
- 被害 狀況 : 없음
- 其他 動向 : 建設現場別 正常 作業

o 在 쿠웨이트 僑民 648名
- 失踪 3名 : 現代建設 所屬, 조춘택, 노재항, 김영호
(이라크軍에 抑留된 것으로 推定)
- 待避 76名 : 大使館에 待避後 所屬 會社 歸還

0035

措 置 事 項

- o 駐 쿠웨이트, 이라크 大使館에 僑民 保護 및 安全對策 樹立 指示(8.2)

- o 政府 公式 立場 聲明 發表 (8.2)
  - 事態 憂慮 表明, 紛爭의 平和的 解決 希望, 이라크軍 撤收 促求

- o 關係 部處 對策 會議 (8.3. 총리 주재)
  - 僑民 身邊 安全 對策
  - 原油 安定 供給 對策 樹立

- o 駐韓 이라크 大使 代理 外務部 招致 (8.4)
  - 政府 公式 立場 傳達
  - 쿠웨이트 및 이라크 滯留 我國人 身邊 安全 保護 措置 要請
  - 쿠웨이트에서 失踪된 我國 勤勞者 所在 確認 및 釋放 要求 (3명 인적사항 전달)

分析 및 展望

- o 아랍의 强.穩 對立 및 産油國間의 意見 差異로 同 事態에 共同 對處 不可能
  - 아랍聯盟 外相 會談에서 糾彈決議 및 아랍 支援軍 動員 失敗

- o 東西의 和解 雰圍氣로 超强大國의 軍事的 措置가 容易치 않아 이라크의 武力 行動에 迅速한 對應 失敗
  - 地域 軍事 强國(이라크등)을 統制할수 있는 機能 喪失이 새로운 問題點

0036

o 이라크 撤軍은 國際的 非難 및 거센 壓力 回避를 위한 方便에 不過

- 實質的인 占領 持續 (소위 民衆軍을 投入)

o 美國의 軍事 介入 困難, 西歐諸國의 經濟 制裁 措置의 實效性이 疑問視 되어 쿠웨이트에 대한 이라크의 支配가 단기적으로는 확립될 것으로 봄

o 이라크는 外形上 臨時政府가 統治하는 形式으로 事態 解決 試圖

o 美.英等 西方國은 現 事態 默過時 사우디等 穩健 아랍國의 屈服이 不可避할 것으로 判斷, 軍事 壓力을 包含한 모든 壓力 手段 動員 豫想 따라서 全般的인 事態는 長期化될 可能性이 큼

- 油價 및 世界 經濟에 큰 影響 豫想

o 我國에 대한 이라크 制裁 措置 參與 壓力이 加重될 것임

o 쿠웨이트 臨時政府의 承認 要請이 豫想됨

添 附 : 쿠웨이트 臨時政府 閣僚 名單

0037

〈첨 부〉

쿠웨이트 임시정부 각료 명단

(주 미 쿠웨이트 대사, 전원 이라크계 주장)

- o 총리 (국방, 내무장관 및 군참모총장 겸임) : ALA'A HUSSEIN SAUD 대령
- o 외무장관 : WALID SAOUD MOHAMMAD 중령
- o 석유장관 및 재무장관 대행 : FOUAD HUSSEIN AHMAD 중령
- o 공보장관 및 통신장관 대행 : FADEL HAIDAR AL-WAFIQI 군지휘관
- o 사회장관, 노동장관 및 공공사업장관 대행 : HUSSEIN ALI AL SHAMARI 중령
- o 교육장관 : NASSER MANSOUR AL-MANDEEL
- o 법무장관 및 종교, 이슬람 담당 장관 대행 : ISSAM ABDEL MAJEED HUSSEIN 군지휘관
- o 상업, 전력 및 기획장관 : YACOUB MOHAMMAD SHALLAL 군지휘관

0038

이라크, 쿠웨이트 사태 관련 관계부처 대책회의 자료

1990. 8. 6.

외 무 부

0039

목 차

1. 상 황

2. 각국 반응 및 제재 조치 현황

3. 미국의 대아국 협조 요청 사항

4. 유엔 안보리 결의사항

5. 쿠웨이트 임시정부 반응

6. 토 의 안 건

첨 부 : 참고사항

1. 상 황

o 이라크, 8.5. 쿠웨이트로 부터 병력 철수 개시 발표

o 미국 및 서방 관측통, 상기 발표에 회의를 나타내고 있는바, 이라크군의 사우디 국경 중립지대로의 이동 집결이 확인, 긴장 고조

o 부쉬 미 대통령, 이라크가 사우디등 여타 중동국가를 침공할 경우 무력 사용 가능성 시사, 이라크 괴뢰 정권인 쿠웨이트 임시정부 내각 불허

o 아랍 및 국제사회의 외교.경제 제재 조치 통한 대 이라크 압력 가중
미.영.불의 걸프만 내 군사력 증강
이라크, 쿠웨이트 내 전략 거점 강화 및 친정권 수립

o 억류 미국인 11명 석방 및 자국 병력 쿠웨이트 철수 재확인등 화전 양면 전략

※ 참고사항 (걸프만 배치 군사력)

- 미 국 : "인디펜던스" 항공모함 및 전함 14척
  * "사라토가" 항공모함 및 호위전함 지중해로 추가 발진
- 영 국 : 전함 2척 파견
- 프랑스 : 전함 1척 추가 배치 (총 2척)

0041

2. 각국 반응 및 제재 조치 현황

국 명	반 응	제재 내용		비 고
		경 제	군 사	
미 국	o 이라크 군대의 무조건 철수 요구 o UN 안보리 긴급 소집 요구 o 걸프지역내 미국의 중요이익 보호 위해 모든 필요 조치 강구 예정	o 미국내 모든 이라크 및 쿠웨이트 자산 동결 및 교역 금지 o 사우디.터어키에 자국 통과 이라크 송유관 폐쇄 요구	o 미군함 걸프만 파견 o 철수 불이행시 UN에 의한 군사 조치 추구 o 여타국 침공시 군사력 사용	o 이라크 및 쿠웨이트 체류 4,000 명
소 련	o 이라크군 무조건 즉각 철수 요청 o 사태 해결 위한 미국과의 긴밀 협력 의사 표명		o 대이라크 무기 금수 조치	o 철수 요구 특별 서한 이라크에 송부
E C (영국)	o 이라크군 즉각적 철수 요구 o UN 안보리의 이라크 제재 조치 지원 용의 표명	o 이라크 및 쿠웨이트 자산 동결 조치		o 쿠웨이트 체류 3,000 명
(프랑스)	o 이라크군 즉각 철수 요구	o 이라크 및 쿠웨이트 자산 동결 조치	o 대 이라크 무기 금수 조치	o 이라크 대 불란서 50억불 채무
(이태리)	o 이라크군 철수에 의문 제기 o EC의 대이라크 제재 촉구	o 쿠웨이트 자산 동결 조치		o 이라크 대이태리 10억불 채무

0042

국 명	반 응	제재 내용		비 고
		경 제	군 사	
(기타)	o 침공 비난 및 즉각적 무조건 철수 요구	o 외무 고위 회담서 이라크 자산 동결등 일련의 대응 조치 검토 o 이라크 원유 수입 중단 조치		o 총원유 도입량 10% 이라크.쿠웨이트에서 조달
일 본	o 이라크의 쿠웨이트 침공에 유감 표명, 평화적 해결 희망 o UN 안보리 제재 결의시 동참	o 이라크 및 쿠웨이트 자산 동결 조치 o 이라크 및 쿠웨이트 원유 도입 중단 및 수출 금지 o 이라크에의 경제 협력 정지(엔차관 동결) o 이라크와의 자본 거래 금지		o 이라크 석유 도입 전체 8% o 쿠웨이트 석유 도입 전체의 5.9%
중 국	o UN 결의안 지지 o 미함대 걸프만 주둔 및 이라크 자산 동결 조치로 중동지역 긴장 고조 비난		o 대 이라크 무기 판매 중지	

0043

국 명	반 응	제재 내용		비 고
		경 제	군 사	
이스라엘	o 이라크의 침공은 걸프지역내 위험상태 유발 표명 o 이라크의 요르단 침공시 자국의 모든 필요행동 개시 시사			
카 나 다	o 전투 중지 및 전면 즉각 철수 요구	o 쿠웨이트 자산 동결		
호 주	o 침공 비난 및 이라크군 철수 요구			
이 집 트	o 침공 사태 토의 위한 아랍 연맹 회의 긴급 소집 요구 o 침공 비난 및 조속 철군 요구			
이 란	o 침공 비난 및 조속 철군 촉구 o 지역내 안보 관련 동 사태에 무관심할 수 없음 o 쿠웨이트내 다른 정부 수립 불인정			

국 명	반 응	제재 내용		비 고
		경 제	군 사	
리 비 아	o 외세 개입 경고 (아랍국가에 대한 침공으로 간주)			
사 우 디	o 침공 사태 토의 위한 GCC 회의 소집 요구			
유 고	o 이라크군 즉각 철수 및 협상 촉구 (비동맹 의장 자격)			
U N	o 안보리 긴급 소집, 회의 개최	o 안보리서 대이라크 경제 재재 가능성 논의		o 이라크 대 유고 8억불 채무
아랍연맹	o 침공 비난 및 조속 철군 촉구 성명			
GCC(걸프만 국가 협력 회의)	o 대 이라크 비난 자제, 아랍 정상간 외교를 통한 사태 해결 노력			

0045

국 명	반 응	제재 내용		비 고
		경 제	군 사	
O I C (회교국회의)	o 침공 비난 및 즉각 철수 요구 o 사바하 쿠웨이트 왕정 지지를 재천명			

※ 튀니지, 모로코, 알제리, 이디오피아, 쿠바 : 침공 비난 및 조속 철군 촉구

※ 서독, 스위스, 벨지움, 룩셈부르크 : 쿠웨이트 자산 동결 조치

※ 그리스, 인니, 포르투칼 : 이라크의 침공 비난

3. 미국의 대아국 협조 요청

1. 미국부 Kimit 차관 브리핑 (8.2) 요지
(박동진 주미 대사 보고)

가. 미국 입장

- ㅇ 미국의 주요 이익을 위협한 심각한 문제로 간주
- ㅇ 정치.경제.군사적 모든 가능한 조치 검토, 어떠한 방안도 배제 않음
- ㅇ 집단적 대이라크 제재 조치가 가장 효과적이라 판단, 모든 회원국의 협조 요청함

나. 미국이 취한 조치

- ㅇ 유엔 안보리 소집 (8.2. 05:00)
  - 이라크 침공 규탄
  - 이라크군대 즉각 철수 촉구
  - 이라크.쿠웨이트 협상 촉구
  - 동 결의 이행 보장 위한 필요 단계시 회의 재소집
- ㅇ 미국내 이라크 및 쿠웨이트 자산 동결
- ㅇ 항공모함 걸프만 이동
- ㅇ 각 우방국에 대하여 집단적인 대이라크 경제 재재 조치 요청함

다. 금후 조치

- ㅇ 유엔헌장 7장 명시된 재재 조치 협의중
- ㅇ 걸프 역내 제국과 이라크 정부 재정교란 방안 강구
- ㅇ 아랍 형제국 중심 해결 방안 모색이 아주 중요, 이를 위해 계속 노력 경주 (반응 미온적인점 지적)

라. 소련과의 협조

- ㅇ 대 이라크 무기 판매 즉각 중지 동의 (미.소 외상 회담)

마. 우방국에 대한 당부

- ㅇ 결집된 조치 이어야 효과적으로 판단, 우방국 국제기구가 경제 재재 조치 공동 보조 취하여 주기 바람.

※ 8.2. 의회에서 대 이라크 재재 결의안 만장일치 채택

0047

2. 백악관 Douglas paal 아시아 담당 보좌관 주미 참사관에 전달 사항

가. 대 이라크 제재 이유 (8.3)

- o 국제적 제재 조치 실효 못거둘 경우, 이라크가 사우디 도발 감행 가능성 농후, 이 경우 세계석유 공급에 중대한 차질 초래
- o 소련도 이라크 무기 공급 중단 조치를 고려 주요 우방인 한국도 동참 바람직
- o 동 제재가 미온적 또는 실효 못거둘 경우, 김일성에게 남침을 도발할 유혹 우려

나. 미국은 쿠웨이트에 4,000 여명의 미국 시민이 이라크는 쿠웨이트에 있음에도 불구, 대이라크 제재 조치 취하고 있는점 강조, 한국 정부도 신속히 제재 조치 결정 촉구

0048

4. 유엔 안보리 결의 (8.2. 05:00)

o 이라크 침공 규탄

o 이라크 군대 즉각 철수 촉구

o 이라크.쿠웨이트 당사자간 즉각 협상 개시 촉구

o 유엔 결의 이행 보장 위한 필요단계에 회의 재소집키로 결정

- 동 결의안 만장 일치 채택

참고 : 단, 예멘은 훈령 미접수 이유 표결 불참

유엔 안보리 결의 초안 (8.5. 예정) (미국 준비안)

o 대 이라크 및 쿠웨이트 모든 상품 수출입 중단 교역활동 금지 및 무기 금수 조치

o 모든 국가의 대 이라크 기금 경협 투자 지원 및 자금 지불(단, 의료적 및 인도적 목적 지불 제외) 중지

o UN 비회원국 포함 모든 국가의 동 UN 결의에 따른 행동을 촉구

o UN 안보리 28조 규정에 의거, 안보리 이사국 포함 안보 위원회 구성, 쿠웨이트 관찰 보고 임무 수행

0049

5. 자유 쿠웨이트 임시 정부 반응

o 서방재국이 제재 조치 경우 쿠웨이트내 서방인 인질 시사

o 임시정부 외무장관 경고
이라크에 제재 조치 취하고자 하는 국가들은 자국민이 쿠웨이트에 있다는 것을 명심

※ 쿠웨이트 침공 당시 1백만명여 외국인 주재 (은행, 석유업계 종역 및 제3국 근로자)

참 고 사 항

1. 이라크, 이.이전시 북한의 대 이란 무기 지원 이유 단교 조치(80.10.15)

2. 북한은 이라크에 쿠웨이트 침공은 논평없이 사후 보도

0050

6. 토 의 안 건

1. 경제 제재 조치 동참 문제

- o 국내 자산 동결
- o 원유 수입 금지
- o 수출입 금지
- o 자본 거래 정지
- o 기타 개발 참여

2. 아국 교민 신변 보호 및 철수 문제

- o 주 이라크, 쿠웨이트 아국 교민 신변 보호
- o 비상시 철수

0051

〈첨 부〉

I. 아국 진출 현황

1. 이라크

가. 건설현황

o 진출건설업체 : 현대건설, 삼성종합건설, 정우개발, 한양, 대림, 남광토건, 동아건설

o 총 건설수주 누계(81-89) : 6,439 백만불

(시공잔액 : 13건 22억8천만불
잔액 : 8억 4백만불)

나. 교역현황

o 진출상사 ; 현대, 삼성, 대우, 국제상사, 선경, 효성(6개상사)

o 수출액(89) : 67 백만불

수입액(89) : 63 백만불

※ 주요 수출품 : 고무제품, 섬유류, 철강류, 기계 및 전자기기

수입품 : 원유 (99%)

다. 교 민 : 618 명 (근로자 포함)

2. 쿠웨이트

가. 건설현황

o 진출건설업체(약 350명) : 현대, 대림, 효성중공업

o 총 건설수주 누계(81-89) : 2,110 백만불

(시공액 : 4건 2억3천백만불
잔액 : 년 1억 7천 9백만불)

나. 교역 현황

o 수출액 (89) : 210 백만불

o 수입액 (89) : 381 백만불

※ 주요 수출품 : 선박, 견직물, 전기기기, 철강, 고무제품등

수입품 : 원유, 구리제품

0052

다. 교 민 : 648 명 (근로자 포함)

- o 공관원, 무역관 직원 및 가족 39명
- o 주재상사원 가족 38명
- o 건설사 직원 및 근로자 319명
- o 기타 거류 교민 252명

II. 국내 쿠웨이트 자산

1. 자산 (총 2024 만불)

가. 국내 투자지분 : 1,724 만$

내 역 : - 국재 종합 금융 투자분 1,245 만$

- 한국 투자분 479 만$

나. 상업차관 ; 300 만$

내 역 : - National Bank of Kuwait (2건) 200 만$

- Gulf Bank (1건) 1200 만불중(쿠웨이트 1인 1/12 지분 100 만$

- 재무부 (90.8.2 자) 자료 재공 -

참 고 : 국내 이라크 자산 없음

0053

이라크, 쿠웨이트 사태 관련 관계 부처 대책 회의

제2차관님 주재

1990. 12. 31.에 예고문에 의거 일반문서로 재분류됨

90. 8. 6.

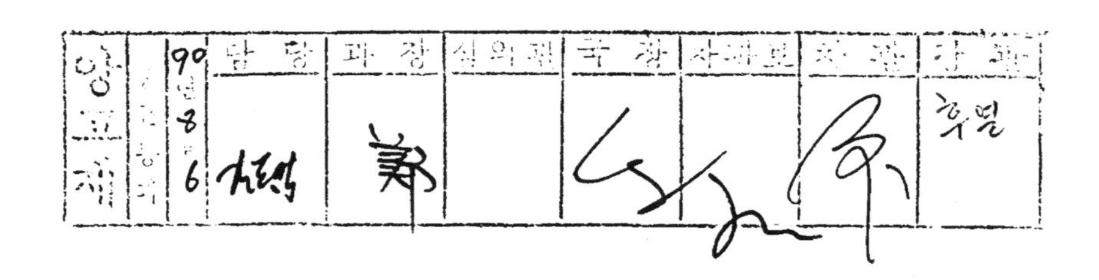

외 무 부

0054

1. 회의 개요

가. 일 시 : 90.8.6(월) 16:00

나. 장 소 : 외무부 817호 회의실

다. 주 재 : 외무부 제2차관보

라. 주 제 : 경제 제재 조치 관련 문제점 파악 대책

마. 참석자 : 별첨

2. 토의 내용

각 관계 부처 소관 현황 및 문제점을 다음과 같이 도출함.

o 동력자원부

현황 : - '90 상반기중 이라크, 쿠웨이트산 원유 도입 물량은 1억 6천 7백만 배럴로 아국 전체 원유 도입량중 15.8%

이라크산 4.2%

쿠웨이트 7.6%

중립지대 4.0%

문제점: - 상기 지역으로부터 원유 수입을 중단할 경우의 대책을 검토중.

※ 제2차관보 언급 : 동자부는 대체 공급 SOURCE 를 모색 하는등 대책 수립이 요망됨.

o 건 설 부

현황 : - 금년중 신규 공사 전무

- 신규 공사 수주 및 도급 공사 수주 억제 입장

- 공사 대금 수금 불능시되므로 업체가 계속 현지 잔류하면서 대금 수령코자 하는 입장

- 이라크 공사 미수 대금 6억 7천만불

(기간 미도래 어음 5억1천5백만불, 기간 도래 어음 1억5천5백만불)

0055

- 쿠웨이트는 주로 현금 거래중인바, 제재 조치 경우 3천2백만불의 미수금 회수 불능할 것임

문제점 - 제재 조치 경우 공사미수대금 수령 및 아국 건설업체 근로자 688명(쿠웨이트내 315명 이라크내 373명)의 신변 안전 문제 우려

- 쿠웨이트 경우 제재 조치와 상관없이 현지 발주처 접촉 불능으로 손해 예상

o 상 공 부

현황 : - 대이라크, 쿠웨이트 수출고는 2억 7천만불로 전체 수출의 0.4%로 미미하고 대부분 쿠웨이트 중계 무역임.

- 장차 암만, UAE 등으로 아국 상품 중계 무역 중심지의 전환도 가능

문제점: - 정부 교역 금지 경우 선적 지연으로 인한 미수금 1천 4백 3십만불(삼성 : 5백만불, 대우 : 2백만불, 현대 : 7백만불, 동국 : 30만불)과 선박 건조 수주액 3억 4천 9백만불의 처리 문제를 검토해야 할 것임.

o 재 무 부

현황 : - 국내 이라크 자산은 없으며, 쿠웨이트 경우 1800만불 정도 자산 있음. (민간 자산)

- 동 자산은 외자 도입법에 의한 것으로 가장 완벽한 보호를 받고 있으며 ~~있어 동결 불가하며~~ 동결시 실정법상 위배

문제점: - 제재 조치시 수출 보험액 이라크 578억원, 쿠웨이트 8천3백만원을 ~~정부가~~ 수출입은행이 보전해 주어야 할 것임.

0056

※ 제2차관보 : - EC 의 경우 교역은 제재 조치에 포함 되어 있지 않는바, 이는 득실을 따져 제재 조치를 결정한 결과로 생각됨.
- 원유, 교역, 건설이 아국 주요 관심 사항인바, 3가지 가능성을 염두에 두고 고려할 필요가 있음.

※ 외무부 통상국장 : 동 문제는 제반 사항을 고려 전반적으로 종합 검토해야 될 것으로 봄

※ 북미 과장 : 미국은 우방국에 대해 아래 6개항의 제재 조치 내용을 희망하여 왔음.

1) 이라크 침공 비난 및 쿠웨이트로부터 병력 철수 촉구
2) 쿠웨이트 신정부 승인 거부
3) 쿠웨이트 자산 동결
4) 이라크 자산 동결
5) 대이라크 교역 금지 및 금거래 중지
6) 대이라크 상업 계약 금지

o 노 동 부

- 쿠웨이트는 현대 근로자가 대부분인바, 사태가 장기화되는 경우 근로자 보호를 위해 가능하다면 주변 국가로 철수시키는 것이 바람직함.

※ 제2차관보 : 쿠웨이트(로부터의) 철수는 외국인에 대한 여행이 금지되고 있어 현실적으로 불가능하며, 이라크 근로자 철수는 제반 사정상 어려움이 있음.

o 경제기획원

- 제재 조치의 경우, 물가 불안등 국민의 불안 심리가 가중되므로 신중한 고려 필요

o 합의사항 :

2. 각부처가 ~~소관 사항에 관한~~ 제재 조치에 (가능성에 대비, 소관사항에 대한 문제점) ~~따른 공식 입장 및 문제점~~을 (및 대응책을) 문서로 8.7. 외무부에 제출키로 함. (문서로 작성, 8.7.까지 외무부에 제출)

1. 미국의 동향, 유엔안보리 결의 추이 등을 보아가면서 대응 (아국에 대한 제재 조치 요구의 강도(强度),)

0057

3. 검토 의견

가. 미, EC 등이 현재까지 다수 국가에 대하여 포괄적으로 제재를 요청하는 일환으로 제재에 동참 요청을 해 왔음.

나. [redacted]

다. 앞으로 미측이 제재 조치를 구체적으로 강력히 요청해올 경우 다음 기준에 의거, 우선 순위를 검토하되 시기 문제를 최대한 감안함.

(가) 검토 기준

1) 아국 인명에 영향을 끼치지 않는 분야

2) 장·단기적으로 경제적 충격이 적은 분야

3) 현 쿠웨이트 사태로 현실적으로 실현이 불가능한 분야

4) 제재 조치로 제기되는 정부 보상 문제가 적은 분야

5) 대체가 용이 또는 가능한 분야

(나) 우선 검토 가능 분야

1) 무기 수출(현재 원칙적으로 대이라크 수출 금지)

2) 원유(전기 기준에 합치)

(다) 제재에 수반되는 위험

1) 이라크의 대아국 외교 보복

- 쿠웨이트 "임시 정부", 제재 국가 단교 공언

2) 진출 인원 신변 위협

- 억류 또는 출국 금지등 배제할수 없음.

- 쿠웨이트 임시정부, 제재국 국민 인질 위험 경고

0058

<별첨>

참 석 자 명 단

회의 주재 : 외무부 제2차관보

기획원	협력정책과장	변재진
[redacted]		
재무부	외환정책과장	한택수
건설부	해외협력관	강길부
상공부	상역국장	황두연
동자부	원유과장	이승웅
노동부	직업안정국장	손원식
외무부	중동국장	이두복
	통상국장	김삼훈
	중근동과장	정무삼
	북미과장	조일환

0059

이라크, 쿠웨이트 사태 관련 관계 부처 대책 회의

90. 8. 6.

외 무 부

0060

1. 회의 개요

가. 일 시 : 90.8.6(월) 16:00

나. 장 소 : 외무부 817호 회의실

다. 주 재 : 외무부 제2차관보

라. 주 제 : 경제 제재 조치 관련 문제점 파악

마. 참석자 : 별첨

2. 토의 내용

각 관계 부처 소관 현황 및 문제점을 다음과 같이 도출함.

o 동력자원부

현황 : - '90 상반기중 이라크, 쿠웨이트산 원유 도입 물량은 1억 6천 7백만 배럴로 아국 전체 원유 도입량중 15.8%

이라크산 4.2%

쿠웨이트 7.6%

중립지대 4.0%

문제점 : - 상기 지역으로부터 원유 수입을 중단할 경우의 대책을 검토중

※ 제2차관보 언급 : 동자부는 대체 공급 SOURCE 를 모색하는등의 대책 수립이 요망됨.

o 건 설 부

현황 : - 금년중 신규 공사 전무

- 신규 공사 수주 및 도급 공사 수주 억제 입장
- 공사 대금 수금 불능시되므로 업체가 계속 현지 잔류하면서 대금 수령코자 하는 입장
- 이라크 공사 미수 대금 6억 7천만불 (기간 미도래 어음 5억1천5백만불, 기간 도래 어음 1억5천5백만불)

0061

- 쿠웨이트는 주로 현금 거래중인바, 제재 조치 경우 3천2백만불의 미수금 회수 불능할 것임.

문제점 : - 제재 조치 경우 공사 미수대금 수령 및 아국 건설업체 근로자 688명(쿠웨이트내 315명 이라크내 373명)의 신변 안전 문제 우려
- 쿠웨이트 경우 제재 조치와 상관없이 현지 발주처 접촉 불능으로 손해 예상

o 상 공 부

현황 : - 대이라크, 쿠웨이트 수출고는 2억 7천만불로 전체 수출의 0.4%로 미미하고 대부분 쿠웨이트 중계 무역임.
- 장차 암만, UAE 등으로 아국 상품 중계 무역 중심지의 전환도 가능

문제점 : - 정부 교역 금지 경우 선적 지연으로 인한 미수금 1천 4백 3십만불(삼성 : 5백만불, 대우 : 2백만불, 현대 : 7백만불, 동국 : 30만불)과 선박 건조 수주액 3억 4천 9백만불의 처리 문제를 검토해야 할 것임.

o 재 무 부

현황 : - 국내 이라크 자산은 없으며, 쿠웨이트 경우 1800만불 정도 자산 있음.(민간 자산)
- 동 자산은 외자 도입법에 의한 것으로 가장 완벽한 보호를 받고 있으며 동결시 실정법상 위배

문제점 : - 제재 조치시 수출 보험액 이라크 578억원, 쿠웨이트 8천3백만원을 수출입 은행이 보전해 주어야 할 것임.

0062

ㅇ 노 동 부

- 쿠웨이트는 현대 근로자가 대부분인바, 사태가 장기화되는 경우 근로자 보호를 위해 가능하다면 주변 국가로 철수시키는 것이 바람직함.

※ 제2차관보 : 쿠웨이트로부터의 철수는 외국인에 대한 여행이 금지되고 있어 현실적으로 불가능하며, 이라크 근로자 철수는 제반 사정상 어려움이 있음.

ㅇ 경제기획원

- 제재 조치의 경우, 물가 불안등 국민의 불안 심리가 가중되므로 신중한 고려 필요

ㅇ 합의사항 :

- 미국의 아국에 대한 제재 조치 요구의 강도(強度), 유엔 안보리 결의 추이등을 보아 가면서 대응
- 각부처가 제재 조치 가능성에 대비, 소관 사항에 대한 문제점 및 대응책을 문서로 작성, 8.7까지 외무부에 제출

3. 검토 의견

가. 미, EC 등이 현재까지 다수 국가에 대하여 포괄적으로 제재를 요청하는 일환으로 제재에 동참 요청을 해 왔음.

나.

다. 앞으로 미측이 제재 조치를 구체적으로 강력히 요청해올 경우 다음 기준에 의거, 우선 순위를 검토하되 시기 문제를 최대한 감안함.

0063

(가) 검토 기준

1) 아국 인명에 영향을 끼치지 않는 분야

2) 장 · 단기적으로 경제적 충격이 적은 분야

3) 현 쿠웨이트 사태로 현실적으로 실현이 불가능한 분야

4) 제재 조치로 제기되는 정부 보상 문제가 적은 분야

5) 대체가 용이 또는 가능한 분야

(나) 우선 검토 가능 분야

1) 무기 수출(현재 원칙적으로 대이라크 수출 금지)

2) 원유(전기 기준에 합치)

(다) 제재에 수반되는 위험

1) 이라크의 대아국 외교 보복

- 쿠웨이트 "임시 정부", 제재 국가 단교 공언

2) 진출 인원 신변 위협

- 억류 또는 출국 금지등 배제할수 없음.

- 쿠웨이트 임시정부, 제재국 국민 인질 위협 경고

0064

통상국장님.

이라크, 쿠웨이트 사태 관련 관계 부처 대책 회의

90. 8. 6.

외 무 부

0065

1. 회의 개요

가 . 일　시 : 90.8.6(월) 16:00

나 . 장　소 : 외무부 817호 회의실

다 . 주　재 : 외무부 제2차관보

라 . 주　제 : 경제 제재 조치 관련 문제점 파악

마 . 참석자 : 별첨

2. 토의 내용

각 관계 부처 소관 현황 및 문제점을 다음과 같이 도출함.

o 동력자원부

현황 : - '90 상반기중 이라크, 쿠웨이트산 원유 도입 물량은 1억 6천 7백만 배럴로 아국 전체 원유 도입량중 15.8%

이라크산 4.2%

쿠웨이트 7.6%

중립지대 4.0%

문제점 : - 상기 지역으로부터 원유 수입을 중단할 경우의 대책을 검토중

※ 제2차관보 언급 : 동자부는 대체 공급 SOURCE 를 모색하는등의 대책 수립이 요망됨.

o 건 설 부

현황 : - 금년중 신규 공사 전무

- 신규 공사 수주 및 도급 공사 수주 억제 입장

- 공사 대금 수급 불능시되므로 업체가 계속 현지 잔류하면서 대금 수령코자 하는 입장

- 이라크 공사 미수 대금 6억 7천만불

(기간 미도래 어음 5억1천5백만불, 기간 도래 어음 1억5천5백만불)

0066

- 쿠웨이트는 주로 현금 거래중인바, 제재 조치 경우 3천2백만불의 미수금 회수 불능할 것임.

문제점 : - 제재 조치 경우 공사 미수대금 수령 및 아국 건설업체 근로자 688명(쿠웨이트내 315명 이라크내 373명)의 신변 안전 문제 우려

- 쿠웨이트 경우 제재 조치와 상관없이 현지 발주처 접촉 불능으로 손해 예상

o ~~상공부~~ 수출

현황 : - 대이라크, 쿠웨이트 수출고는 2억 7천만불로 전체 수출의 0.4%로 미미하고 대부분 쿠웨이트 중계 무역임.

- 장차 압만, UAE 등으로 아국 상품 중계 무역 중심지의 전환도 가능

문제점 : - 정부 교역 금지 경우 선적 지연으로 인한 미수금 1천 4백 3십만불(삼성 : 5백만불, 대우 : 2백만불, 현대 : 7백만불, 동국 : 30만불)과 선박 건조 수주액 3억 4천 9백만불의 처리 문제를 검토해야 할 것임.

o 재무부

현황 : - 국내 이라크 자산은 없으며, 쿠웨이트 경우 1800만불 정도 자산 있음(민간 자산)

- 동 자산은 외자 도입법에 의한 것으로 가장 완벽한 보호를 받고 있으며 동결시 실정법상 위배

문제점 : - 제재 조치시 수출 보험액 이라크 578억원, 쿠웨이트 8천3백만원을 수출입 은행이 보전해 주어야 할 것임.

0067

o 노 동 부

- 쿠웨이트는 현대 근로자가 대부분인바, 사태가 장기화되는 경우 근로자 보호를 위해 가능하다면 주변 국가로 철수시키는 것이 바람직함.

※ 제2차관보 : 쿠웨이트로부터의 철수는 외국인에 대한 여행이 금지되고 있어 현실적으로 불가능하며, 이라크 근로자 철수는 제반 사정상 어려움이 있음.

o 경제기획원

- 제재 조치의 경우, 물가 불안등 국민의 불안 심리가 가중되므로 신중한 고려 필요

o 합의사항 :

- 미국의 아국에 대한 제재 조치 요구의 강도(強度), 유엔 안보리 결의 추이등을 보아 가면서 대응
- 각부처가 제재 조치 가능성에 대비, 소관 사항에 대한 문제점 및 대응책을 문서로 작성, 8.7까지 외무부에 제출

3. 검토 의견

가. 미, EC 등이 현재까지 다수 국가에 대하여 포괄적으로 제재를 요청하는 일환으로 제재에 동참 요청을 해 왔음.

나.

다. 앞으로 미측이 제재 조치를 구체적으로 강력히 요청해올 경우 다음 기준에 의거, 우선 순위를 검토하되 시기 문제를 최대한 감안함.

0068

(가) 검토 기준

1) 아국 인명에 영향을 끼치지 않는 분야

2) 장·단기적으로 경제적 충격이 적은 분야

3) 현 쿠웨이트 사태로 현실적으로 실현이 불가능한 분야

4) 제재 조치로 제기되는 정부 보상 문제가 적은 분야

5) 대체가 용이 또는 가능한 분야

(나) 우선 검토 가능 분야

1) 무기 수출(현재 원칙적으로 대이라크 수출 금지)

2) 원유(전기 기준에 합치)

(다) 제재에 수반되는 위험

1) 이라크의 대아국 외교 보복

- 쿠웨이트 "임시 정부", 제재 국가 단교 공언

2) 진출 인원 신변 위협

- 억류 또는 출국 금지등 배제할수 없음.

- 쿠웨이트 임시정부, 제재국 국민 인질 위협 경고

0069

<별첨>

참 석 자 명 단

회의 주제 : 외무부 제2차관보

기획원	협력정책과장	변재진
재무부	외환정책과장	한택수
건설부	해외협력관	강길부
상공부	상역국장	황두연
동자부	원유과장	이승웅
노동부	직업안정국장	손원식
외무부	중동국장	이두복
	통상국장	김삼훈
	중근동과장	정무삼
	북미과장	조일환

0070

대 이라크 경제 제재 조치 검토
관계 부처 회의 자료

1990. 8. 8.

외 무 부

0071

1. 미국 및 UN 요청사항

가. 미국측 협조 요청 사항

- o 이라크 침공 비난, 이라크 군대 철수 촉구
- o 쿠웨이트 신정부 승인 거부
- o 이라크, 쿠웨이트 자산 동결
- o 대 이라크 교역, 환거래 중지
- o 대 이라크 원유 수입 전면 중지
- o 대 이라크 상업계약 금지

나. UN 안보리 결의 661 요지 (8.6)

- o 이라크가 결의안 660호 불이행
- o 쿠웨이트 임시정부 승인 금지
- o 이라크 및 쿠웨이트 자산 동결
- o 대 이라크 상품(무기포함) 수출입 전면 금지
- o 자금 이동 금지
- o 재정, 경제적 자원 제공 금지
- o 유엔 비회원국을 포함 제국가 동 결의안 엄격 준수
- o 쿠웨이트 기존 정부에 대한 지원을 금지하는 것은 아님

0072

2. 각국 반응 및 제재 조치 현황

국 명	반 응	제재 내용		비 고
		경 제	군 사	
미 국	o 이라크 군대의 무조건 철수 요구 o UN 안보리 긴급 소집 요구 o 걸프지역내 미국의 중요이익 보호 위해 모든 필요 조치 강구 예정	o 미국내 모든 이라크 및 쿠웨이트 자산 동결 및 교역 금지 o 사우디.터이키에 자국 통과 이라크 송유관 폐쇄 요구	o 미군함 걸프만 파견 o 철수 불이행시 UN에 의한 군사 조치 추구 o 여타국 침공시 군사력 사용	o 이라크 및 쿠웨이트 체류 4,000 명
소 련	o 이라크군 무조건 즉각 철수 요청 o 사태 해결 위한 미국과의 긴밀 협력 의사 표명	o 대이라크 무기 금수 조치	o 군함 걸프만 파견	o 철수 요구 특별 서한 이라크에 송부
E C (영국)	o 이라크군 즉각적 철수 요구 o UN 안보리의 이라크 제재 조치 지원 용의 표명	o 이라크 및 쿠웨이트 자산 동결 조치 o 이라크 원유 수입 금지	o 군함 걸프만 파견	o 쿠웨이트 체류 3,000 명
(프랑스)	o 이라크군 즉각 철수 요구	o 이라크 및 쿠웨이트 자산 동결 조치 o 군함 지원	o 대 이라크 무기 금수 조치	o 이라크 대불란서 50억불 채무
(이태리)	o 이라크군 철수에 의문 제기 o EC의 대이라크 제재 촉구	o 쿠웨이트 자산 동결 조치		o 이라크 대이태리 10억불 채무

0073

국 명	반 응	제재 내용		비 고
		경 제	군 사	
일 본	o 이라크의 쿠웨이트 침공에 유감 표명, 평화적 해결 희망 o UN 안보리 제재 결의 동참	o 이라크 및 쿠웨이트 자산 동결 조치 o 이라크 및 쿠웨이트 원유 도입 중단 및 수출 금지 o 이라크에의 경제 협력 정지(엔차관 동결) o 이라크와의 자본 거래 금지		o 이라크 석유 도입 전체 8% o 쿠웨이트 석유 도입 전체의 5.9%
중 국	o UN 결의안 지지 o 미함대 걸프만 주둔 및 이라크 자산 동결 조치로 중동지역 긴장 고조 비난		o 대 이라크 무기 판매 중지	
이스라엘	o 이라크의 침공은 걸프지역내 위협상태 유발 표명 o 이라크의 요르단 침공시 자국의 모든 필요행동 개시 시사 o UN 결의안 지지	o UN 안보리 결의 준수		
터 어 키	o UN 결의안 지지	o 자산 동결	o 송유관 1개 폐쇄	

0074

3. UN 안보리 결의 661호 검토

가. 법적 근거

- o UN 안보리는 헌장 41조의 규정에 따라 평화를 파괴하거나 위협하는 사태를 해결하기 위하여 비군사적 강제조치를 취할 수 있음
- o 헌장 41조는 비군사적 강제조치의 범위로 "경제관계 및 수송, 통신의 중단 또는 외교관계의 단절"을 규정하고 있음

나. 제재 사례

- o 대 로데지아(현 짐바브웨) 제재 결의
  - 1965.11.11 백인 소수 정권 수립
  - 1966.12.16 안보리 결의 232호 채택
    - . 로데지아와 모든 통상관계 단절을 회원국에 요청(call upon)
    - . 비회원국의 결의에 따른 조치 촉구(urge)
- o 대 남아공 제재 결의
  - 1963. 남아공에 대한 무기금수 결의
  - 1979. 군사적 핵협력 금지 결의

    ※ 남아공에 대한 제재는 로데지아와 달리 포괄적 제재조치는 아님
- o 기 타

  1980.1.10. 이란 주재 미국 대사관 점거사건시 미국이 제출한 대 이란 제재 결의안은 소련의 거부권 행사로 부결됨

다. 아국과의 관계

- o 아국이 UN 회원국이 아니더라도 안보리의 대 이라크 경제제재 결의를 준수하여야 할 규범적 의무가 발생한다고 볼 수 있음
  - 금번 결의안은 UN 비회원국의 동 결의안 준수도 요청(call upon) 하고 있음

0075

- 아국은 UN 헌장을 준수하고 제결의를 존중한다는 입장을 일관되게 취하여 옴
- UN 헌장 제2조 제6항은 유엔이 비회원국의 협조를 확보하도록 규정하고 있음

o 경제제재 조치를 취할 수 있는 국내법적 근거는 대외무역법 제4조 "무역에 관한 제한등 특별조치"가 있음

※ 대외무역법 제4조
"상공부장관은 우리나라 또는 우리나라 무역상대국에 전쟁. 사변 또는 천재.지변이 있을 때 대통령령이 정하는 바에 의하여 물품의 수출.수입의 제한 또는 금지에 관한 특별 조치를 할 수 있다."

o 1966.3.10. 아국정부는 상공부고시를 통하여 대 로데지아 통상관계 단절조치를 취한 바 있음

라. 의 견

o 아국은 유엔 안보리의 경제 제재조치의 준수를 강력히 요구받게 될 것이며, 상기 유엔헌장 및 유엔각기관의 결의에 대한 아국 입장에 비추어 유엔 비회원국임을 이유로 규범적 의무를 부인하기는 곤란할 것임.

4. 관계부처 입장 (8.6. 실무자 회의)

0076

나. 경 기 원

o 현재 진행 사업은 계속, 신규 사업 전면 중단

o 가급적 시간 지연, 사태 진전상황, 각국 반응 보아 대처

o 경제 제재 동참이 불가피시 아국에 미치는 영향이 적은것부터 시행

다. 외 무 부

o 동 사태 진전 우려 표명 성명 발표

o 분쟁의 평화적 방법 해결 희망

o 이라크군의 철수 촉구

o 아국인 신변 안전 및 억류자 석방 요청

라. 재 무 부

o 국내 이라크 자산 전무, 쿠웨이트 자산 1800 만불(민간)

o 외자 도입법상 동결시 실정법 위배

o 수출 보험액, 이라크 578억, 쿠웨이트 8억 백만원 수출입은행에서 보전 필요

마. 건 설 부

o 신규 및 도급 공사 수주 억제 입장

o 공사 대금 회수 불능

이라크 공사 대금 6억 7천만불

쿠웨이트 공사 대금 3천 2백만불

o 쿠웨이트 경우 제재 조치와 상관 없이 현지 발주처 접촉 불능 손해 예상

0077

바. 상 공 부

- o 이라크, 쿠웨이트 수출고 2억 7천만불 (전체 수출의 0.4%) 대부분 중계무역
- o 장차 암만, 아부다비등 중계지 전환 검토
- o 교역 금지 경우 수출 미수금 1천 4백 3십만불
  선박 건조 수주액 3억 4천 9백만불 처리 문제 검토

사. 동 자 부

- o 원유 도입선 다변화
- o 원유 확보 외교 채널 통한 지원 요망
  - 산유국 대사관에 협조 요청
- o 각사별 자체 대응 방안 철저 추진
- o 석유제품 수출 자제

아. 노 동 부

- o 제재 동참시 근로자 신변 안전 문제
- o 인질 경우 여론, 가족 생계 문제
- o 향후 인력 진출 난망
- o 아국 근로자 주변국가 조속 철수 필요

0078

5. 분야별 검토

	현 황	문 제 점	비 고
가. 원유 도입 o 쿠웨이트산 o 이라크산	 '90 상반기 12,682 천배럴 (7만 B/D) 전체 도입량 7.6% '90 상반기 7,083 천배럴 (3만9천 B/D) 전체 도입량 4.2%	 - 양국으로 부터 공급물량 감소 . 10만9천 B/D . 장기계약분 7만5천 B/D . 현물 도입분 3만4천 B/D - 원유 수입 재개에 애로점	
나. 자산 동결 o 이라크자산 o 쿠웨이트 자산	 - 국내 자산 전무 대 이라크 채권 8억8천만불 - 국내 쿠웨이트 자산 1800만불 - 쿠웨이트 채권 6천4백만불	 - 외자 유치 지장 - 외자 도입법 실정법 위배	
다. 상품 수출	- 양국 수출은 전체 수출의 0.4% - 양국 수입비중 전체 수입의 2.3% 현재 사실상 수출 전면 중단 상태	- 국내 무역업체 피해 보전 문제 - 이라크 수출대금 . 미회수금 : 1,100 만불 . 선박 건조 수주액 3억4천9백만불	
라. 건설수주	신규공사 전무상태 기수주 공사대금 수금 업체가 현지 잔류 하면서 수령 계획	- 이라크 공사대금 . 6억7천만불 수금 문제 . 쿠웨이트 3천2백만불 수금 문제	

0079

6. 제재조치 동참시 고려사항

o 교민 안전 문제

- 이라크 621명, 쿠웨이트 648명
- 쿠웨이트 임시정부 제재국에 대한 경고(8.3)
  (자국민 인질, 외교관계 단교 언급)

o 국가경제에 미칠 영향

- 원유도입, 상품수출, 건설수주, 인력진출, 국내물가

o 사태 진정시 대이라크 관계

- 원유도입, 수출, 건설수주, 인력진출

o 공사 대금, 수출 대금 수금

7. 검토의견

o 제재 문제는 가급적 시간을 끌면서 사태의 진전상황, 아국과 유사한 환경에 처해있는 주변국가들의 대응 태도를 주시

o 미국, UN등 요청 및 국제적 여론등을 감안, 동참이 불가피할 경우 아국에 미치는 영향이 적은것부터 시행

o 아국의 제재 조치 동참 결정은 관계부처와 구체적으로 면밀히 분석, 충분한 대책 수립후 발표

8. 제재 방법 및 시기

o 방 법

- 정부 성명
- UN에 통보
- 해당 분야별 개별 통보

o 시 기

- 미.이라크 대치 상황 보아 불가피시

0080

유종하 외무차관 언급내용

(90.8.9. 기자 브리핑시)

o 한국은 8.6자 이라크에 대한 유엔 안보리의 제재조치 결의 661호를 지지하며, 이의 이행 방안에 관하여 금 8.9. 오후 관계부처 회의를 가질 예정임.

o 유엔 안보리의 8.2.자 660호 결의에 대하여는 8.2.자 외무부 대변인 성명을 통하여 이라크군이 쿠웨이트 영토로 부터 즉각 철수해야 한다는 입장을 천명하였으며, 이러한 입장을 재강조하는 바임.

o (질문에 대하여) 한국 정부는 이라크에 의한 쿠웨이트 합병을 인정할 수 없음을 분명히 밝힘.

0081 ~~0029~~

COMMENTS BY VICE FOREIGN MINISTER YOO CHONG-HA
(AT a PRESS BRIEFING at 10:00 A.M., AUG. 9. 1990)

The Republic of Korea supports the U.N. Security Council Resolution No. 661, regarding economic sanctions against Iraq.
An inter-ministerial meeting for implementation of this resolution will take place in the afternoon of August 9.

We have already demanded the immediate withdrawal of Iraqi troops from Kuwaiti territory, and we reemphasize this position.

(To a question) The Government of the Republic of Korea makes it clear that the annexation of Kuwait by Iraq is unacceptable.

0082

COMMENTS BY VICE FOREIGN MINISTER YOO CHONG-HA
AT THE PRESS BRIEFING ON AUG. 9. 1990

The Republic of Koreas supports United Nations Security Council Resolution 661 adopted on August 6, 1990, regarding collective economic measures against Iraq.

An inter-ministerial meeting for implementation of this resolution by the Republic of Korea will take place in the afternoon of August 9.

We have already called for, in a statement on August 2 by the Foreign Ministry Spokesman, the immediate withdrawal of Iraqi troops from the Kuwaiti territory, in accordance with UN Security Council Resolution 660 of August 2, 1990, and we reemphasize this position.

(To a question) The Government of the Republic of Korea believes that the annexation of Kuwait by Iraq is unacceptable to peace-loving States of the world.

0083

COMMENTS BY VICE FOREIGN MINISTER YOO CHONG-HA
(AT A PRESS BRIEFING AT 10:00 A.M., AUG. 9. 1990)

1. The Republic of Korea supports United Nations Security Council Resolution 661 adopted on August 6, 1990, regarding collective economic measures against Iraq.
An inter-ministerial meeting for implementation of this resolution will take place in the afternoon of August 9.

2. We have already called for, in a statement on August 2 by the Foreign Ministry Spokesman, the immediate withdrawal of Iraqi troops from the Kuwaiti territory in accordance with UN Security Council Resolution 660 of August 2, 1990, and we reemphasiz this position.

3. (To a question) The Government of the Republic of Korea makes it clear that the annexation of Kuwait by Iraq is unacceptable.

0084

90. 8. 9.
공보관실

유종하 외무차관 기자 브리핑 내용

1. 일시 및 장소 : 90.8.9(목) 10:15-10:35, 외무부 회의실

2. 내 용 :

가. 차관 언급 내용

한국 정부는 8.9자 이라크에 대한 유엔 안보리의 제재조치 결의 661호를 지지하며, 이의 이행 방안에 관하여 금 8.9. 오후 관계부처 회의를 가질 예정임.

유엔 안보리의 8.2.자 660호 결의에 대하여는 8.2.자 외무부 대변인 성명을 통하여 이라크군이 쿠웨이트 영토로 부터 즉각 철수해야 한다는 입장을 천명하였으며, 이러한 입장을 재강조 하는 바임.

질문이 있으시면 받겠음.

나. 질의 응답

문 : 지금 발표한 내용을 좀 더 명확하게 한다면 우리 정부는 대이라크 경제 제재 조치에 동참하겠다는 것인가 ?
(KBS 고대영 기자)

답 : 그렇음.

문 : 어제 이라크가 쿠웨이트를 합병한다고 발표하였는데 이에 대한 우리 정부의 입장은 무엇인가 ? (KBS 고대영 기자)

답 : 한국 정부는 이라크에 의한 쿠웨이트 합병을 인정할 수 없음을 분명히 밝힘.

문 : 우리가 취할 경제 제재 조치의 구체적 내용은 무엇인가 ? (중앙일보 문일현 기자)

답 : 오늘 오후 개최될 경제기획원, 건설부, 상공부, 동자부등 관계 부처 회의에서 협의할 예정임.

문 : 관계 부처 회의에서 주로 무엇을 협의할 것인가 ? (중앙일보 문일현 기자)

답 : 유엔 안보리 결의 내용에 따라서 우리가 취할 수 있는 구체적인 방안들에 관하여 협의하게 될 것임.

문 : 쿠웨이트와 이라크에 거주하고 있는 외국인들의 안전이 위험하다는 현지 보도가 있는데, 우리 교민들의 철수도 고려하고 있는가 ? (조선일보 김승영 기자)

답 : 다각적으로 검토하고 있으나, 현재로서는 수송 수단등 구체적인 철수 방도가 마련되지 않고 있음. 이와관련 쿠웨이트 주재 소병용 대사와 이라크 주재 최봉름 대사에게 상사등 현지 진출기관과 협의하여 현지 상황에 맞도록 대책을 수립하라고 지시하였음. 현재 전화등 현지와의 통신 상태도 좋지 않기 때문에 현지 대사들에게 상당한 재량권을 주어 현지 상황에 따라 적절히 대처하도록 하고 있음.

-2-

0086

문 : 우리나라가 이라크에 무기 판매를 하고 있는 것도 아닌데 경제 제재 조치를 취할 경우 효과가 얼마나 있을 것인가 ? 또 현지 체류중인 우리 교민들에게는 어떠한 영향을 미치게 될 것인가 ? (MBC 최명길 기자)

답 : 우리 교민들에 대하여는 원칙적으로 영향이 미치지 않어야 된다고 봄. 큐바와 예멘이 기권을 하였으나, 유엔 안보리의 결의는 사실상 모든 국가가 지지하고 있음. 이번 안보리 결의는 규범적 성격이기 때문에 비록 비회원국이라도 이에 반대할 수 없는 것으로 판단하며, 따라서 회원국과 같은 입장에서 안보리 결의에 따르기로 한 것임.

쿠웨이트와 이라크 지역에 자국의 국민들이 거주하고 있는 나라는 상당수 있음. 터키의 경우 기천명, 인도는 수만명의 근로자가 있으며, 미국의 경우에도 3천명 이상이 체재하고 있다함. 쿠웨이트와 이라크 양국과 경제적 이해관계를 갖고 있는 나라는 물론, 근로자 또는 각종 형태의 교민을 갖고 있는 국가들도 모두 유엔 안보리 결의에 동참하고 있는 상황임. 따라서 이라크가 우리나라의 유엔 안보리 결의 지지 입장을 그들에 대한 비우호적 태도로 판단할 근거가 없다고 봄.

문 : 오늘 오후 결정되면 언제부터 제재 조치가 시행될 수 있는가 ? (중앙일보 문일현 기자)

답 : 조치 내용에 따라 즉각 시행될 수 있는것도 있고, 시일을 두고 시행될 것도 있을 것으로 짐작할 수 있을 것임. 그러나 구체적 조치 내용에 관한 시행은 각 해당부처가 맡게되는 것임.

문 : 한국의 대 이라크 경제 제재 조치가 이라크에 어떠한 영향을 줄 것인가 ? 가령 전쟁 발발을 억지하는 효과등이 있을 것으로 예상하는가 ? (MBC 최명길 기자)

답 : 우리는 이 지역에 대하여 전략 무기를 판매하고 있는 것도 아니고, 일부 건설 공사에 참여하고 있을뿐임. 우리가 안보리 결의를 지지하는 것은 유엔 회원국과 비회원국 모두 예외없이 통일되고 단합된 경제 제재 조치를 취하여야 효과가 있을 것이라는 유엔 안보리 결의의 정신에 부합 하겠다는 것임.

문 : 어제 일부 언론에서는 우리 정부가 미국 정부의 대이라크 제재 동참 요청을 거부한 것으로 해석 보도하였는데, 그렇다면 오늘 발표 내용은 상당한 변화를 의미하는 것 아닌가 ? (한겨레신문 오태규 기자)

답 : 어제 그러한 일부 보도 내용은 전혀 근거가 없는 것임. 어제 본인이 "솔로몬" 차관보에 대해 유엔 안보리 결의안이 mandatory 한 것으로 구속력이 있는 것이며, 따라서 우리 정부가 여기에 역행하거나 또는 결의 내용에서 이탈하는 것을 생각할 수도 없다는 우리 정부의 생각을 설명하였음. 즉 유엔 안보리 결의의 기본 취지에는 동조하는 입장이나, 다만 제재 조치와 관련한 구체적 사항에 대하여는 관계 부처와 협의하여 신중하게 대처하겠다는 것이었음.

문 : 우리 정부가 즉각 취할 수 있는 경제 제재 조치에는 무엇이 있는가 ? (중앙일보 문일현 기자)

답 : 외무부는 경제 제재 조치의 이행에 관한 직접적인 소관 부처가 아님을 이해바람. 구체적인 조치는 각 소관 부처별로 이행될 것임.

문 : 이라크에 제재 조치를 취한다고하나, 우리가 알기로는 건설 미수금만 해도 10억불에 달한다고 하는데 오히려 우리가 손해를 보는 것 아닌가 ? (한국일보 정광철 기자)

답 : 이번 사태로 모든 나라가 직접 또는 간접으로 손해를 보고 있음. 유류 파동이 일어날 소지도 전혀 없는 것이 아님. 이러한 사태가 일어나 에너지 가격이 오를 경우 각국이 입을 피해는 막대한 것임.

그러므로 경제적 불이익을 자국 하나의 차원에서만 볼 것이 아니고 세계 전체적인 분위기 속에서 생각하여야 된다고 봄. 국제 사회에서 정당하고 유용한 조치를 취할때 여기에 동참하여 그것이 더 좋은 효과를 내도록 하는 것도 중요한 것임.

문 : 미국 정부로 부터 군사적 참여를 요청받은 것은 없는가 ?
(연합통신 구범회 기자)

답 : 없음. 끝.

관리 번호	

	분류번호	보존기간

발 신 전 보

AM-0143 900809 1142 FC

번 호 : 종별 :

수 신 : 주 전재외공관장 대사.총영사

발 신 : 장 관 (국연)

제 목 : 이락.쿠웨이트 사태관련 논평

1. 유종하 외무차관은 8.9. 오전 10:00 이락.쿠웨이트 사태관련 하기내용의 논평을 발표하였음.

COMMENTS BY VICE FOREIGN MINISTER YOO CHONG-HA
AT THE PRESS BRIEFING ON AUG. 9. 1990

The Republic of Koreas supports United Nations Security Council Resolution 661 adopted on August 6, 1990, regarding collective economic measures against Iraq.

An inter-ministerial meeting for implementation of this resolution by the Republic of Korea will take place in the afternoon of August 9.

보안 통제	

앙 고 재	90년 8월 9일	과	기안자 성명		과 장		국 장		차 관	장 관

외신과통제

0090

We have already called for, in a statement on August 2 by the Foreign Ministry Spokesman, the immediate withdrawal of Iraqi troops from the Kuwaiti territory, in accordance with UN Security Council Resolution 660 of August 2, 1990, and we ~~reiterate~~ reemphasize this position.

2. 기자의 질문에 대하여 이락의 쿠웨이트 합병에 대해 아래와 같이 답변하였으니 참고바람. ~~(To a question)~~ The Government of the Republic of Korea believes that the annexation of Kuwait by Iraq is unacceptable to peace-loving States of the world. 끝.

~~예 고 : 90.12.31. 일반~~

~~수신처 : 주미, 일, 브루내이, 인니, 말련, 필리핀, 싱가폴, 태국대사,~~
~~유럽지역대사, 중동지역대사. 끝.~~

(국제기구조약국장 문동석)

0091

관리 번호	90/832

對이라크 經濟制裁措置 檢討

1990.8.9.

外 務 部

0092

目 次

I. 問題의 提起

1. UN 安保理, 이라크에 대한 包括的인 經濟 制裁措置 決議案 採擇(8.6)

- o 모든 유엔 非會員國에 대해서도 同一한 制裁措置의 履行 促求
- o 我國이 취해야 할 措置事項에 대한 檢討 必要
- ※ 13:0:2 (기권 : 쿠바, 예멘)

2. 美國 및 EC, 我國의 對이라크 經濟制裁 參與 促求

(美 國)

- o 8.2 Gregg 駐韓大使, 쿠웨이트 資産 凍結 要請
- o 8.2 Kimmett 國務次官, 駐美大使等 外交團을 초치, 友邦國들이 對이라크 經濟 制裁措置에 共同步調를 취하여 줄 것을 促求
- o 8.3 Paal 백악관 아시아擔當補佐官, 駐美大使館을 통하여 對이라크 經濟 制裁措置에 我國이 早速 參與해 줄 것을 要請
- o 8.7 國務部 韓國課長, 韓國政府의 早速한 呼應 再促求
- o 8.8 訪韓中인 Solomon 國務部次官補, 柳宗夏 外務次官 面談時 UN 決議 尊重 强力 要請

(E C)

- o 8.6 Viteau 駐韓 프랑스大使代理, 外務部 中東阿局長을 面談, 對이라크 制裁 措置에 我國의 參與 要請

3. 美國, EC, 日本, 카나다, 스위스, 터어키等 主要國, 對이라크 經濟 制裁 措置 旣闡明

4. 蘇聯 및 中國도 對이라크 制裁措置에 參與

Ⅱ. 유엔 및 各國의 經濟 制裁措置 現況

1. UN 安保理 決議案 要旨(8.6)

o 이라크 또는 쿠웨이트와 商品交易 禁止 및 武器等 軍事裝備 禁輸

o 財政的, 經濟的 資源 提供 禁止 및 쿠웨이트 前政府 資産 保護

o 유엔 非會員國을 包含한 모든國家가 同 決議案 以前의 契約이나 許可에도 불문하고 同 決議案 諸規定을 嚴格히 遵守할 것을 促求

2. 美 國 (8.2)

o 美國內 모든 이라크 및 쿠웨이트 資産 凍結

o 이라크 및 쿠웨이트와 交易禁止

o 사우디, 터어키에 동국 통과 이라크 송유관 폐쇄 要求

* 이라크 및 쿠웨이트 滯留 美國人 4,000名

3. E C (8.4)

o 이라크 및 쿠웨이트로 부터의 原油 輸入禁止

o EC 會員國內 이라크 資産 凍結

o 이라크에 대한 武器 및 其他 軍事裝備 販賣禁止 및 軍事協力 中止

o 이라크와의 科學技術協力 및 GSP 供與 中止

* 쿠웨이트 滯留 英國人 3,000名, 이라크의 對프랑스 債務 50億弗

4. 日 本 (8.5)

o 이라크 및 쿠웨이트 資産 凍結 및 資本去來 禁止

o 이라크 및 쿠웨이트 原油導入 中斷 및 輸出禁止

o 이라크에 대한 經濟協力 停止(엔借款 凍結)

* 日本의 全體 原油導入中 이라크産 8%, 쿠웨이트産 5.9% 차지

5. 蘇聯 및 中國

o 對이라크 武器販賣 中止

Ⅲ. 經濟 制裁措置 關聯 問題點

1. 原油導入 現況('90 上半期)

	導入物量(천배럴)	我國全體 導入量中 比重
이 라 크	7,083	4.2%
쿠 웨 이 트	12,682	7.6%
중 립 지 대	6,730	4.0%
계	26,495	15.8%

2. 建 設

가. 現 況

- 이 라 크 : 7個業體 進出, 13件 시공, 殘額 804백만불
- 쿠웨이트 : 3個業體 進出, 4件 시공, 殘額 179백만불

나. 問題點

- 未收金 回收 不能 豫想
  - 이 라 크 : 670백만불(期間未到來어음 515백만불, 到來어음 155백만불)
  - 쿠웨이트 : 32백만불
- 建設業體 勤勞者 身邊安全問題
  - 이 라 크 : 373名
  - 쿠웨이트 : 315名

3. 輸 出

가. 現 況

o 이 라 크 : 89年 輸出額 67백만불

o 쿠웨이트 : 89年 輸出額 210백만불로 我國全體 輸出의 0.34% 로 미미 하고 大部分 중계무역(UAE 등으로 중계무역지 전환가능)

나. 問題點

o 交易禁止 措置時 船積遲延으로 인한 未收金 14.3백만불 및 92年 目標 建造中인 船舶(유조선 4척)受注額 342백만불에 대한 政府補償 問題 發生

o 我國의 經濟 制裁措置에 따라 이라크 및 쿠웨이트 輸入業者가 代金 결제 不履行時 輸出入銀行은 輸出保險契約에 따라 保險金 支給 부담
- 이라크 425件, 408억원, 쿠웨이트 2件, 89백만원

4. 僑 民

가. 現 況

o 公館員, 商社駐在員, 建設業體 勤勞者, 僑民等 我國人 1,266名 滯留中
- 이라크 618名, 쿠웨이트 648名

나. 問題點

o 인근국가로 移動이 어려운 狀況

5. 國內 資産

가. 現 況

o 我國內 이라크 資産은 없으며, 쿠웨이트 民間資産은 約 18백만불

나. 問題點

o 凍結 對象이 될 수 있는 이라크·쿠웨이트의 政府資産은 없으므로 問題點 別無

Ⅳ. 對 策

1. 基本的 考慮事項

가. 對이라크 經濟 制裁措置 參與 必要性

o 유엔安保理 決議(8.6) 尊重

- 我國은 유엔헌장을 遵守하고 제결의를 尊重한다는 立場을 一貫되게 堅持

- 決議案 內容이 유엔 非會員國의 制裁 參與를 明示的으로 要請

o 美國의 强力한 要請

o EC·日·蘇·스위스·터어키·브라질等 全世界的인 制裁 同參 雰圍氣

나. 對이라크 關係

o 我國政府가 이라크에 대해 전면적인 經濟 制裁措置를 취하는 경우 아래 問題點 豫想

- 僑民 身邊 威脅(抑留 또는 出國禁止等) 可能性

- 建設 未收金 回收 不能

- 輸出不能으로 因한 關聯業體의 對政府 補償 要求 可能性

  · 旣船積 — 國內銀行 Nego 完了 — 그러나 外國銀行으로 부터 未收金 發生 경우

  · 旣船積 — 國內銀行의 Nego 中斷 경우

  · 주문에 의한 生産完了내지 生産中인 경우

- 輸出入銀行 보험부보 部分에 대한 保險金 支給

  · 이라크 425건 408억원, 쿠웨이트 2건 89백만원

- 이라크의 對我國 外交報復

9 - 6

0098

2. 對應 方案

가. 유엔安保理 決議 尊重 意思 闡明 (宣言的 意味)

o 政府立場 決定時 즉시 發表

나. 具體的 事案別 措置 計劃

1) 原油導入先 轉換

o 原油의 安定的 確保를 위해 原油導入先의 早速한 轉換이 바람직

o 現實的으로 이라크 및 쿠웨이트産 原油導入 不可

- 美國의 해상봉쇄시 同 地域産 原油 輸入위한 유조선 出入 不可
- 터어키, 自國通過 이라크 송유관 旣폐쇄
- 사우디도 이라크의 威脅에도 不拘 폐쇄 可能性 濃厚

* 체니 國防長官 사우디 訪問, 베이커 國務長官 터어키 訪問

2) 對이라크 軍需物資 販賣禁止

o 我國은 이미 이라크에 대한 武器輸出 全面 禁止

- 8.6 外務部 中東阿局長, 駐韓 프랑스大使代理 面談時 我國은 이라크에 武器輸出을 하고 있지 않음을 强調

3) 建設工事

o 新規 工事 受注 禁止

o 工事中인 工事는 觀望

9 - 7

0099

4) 人員 철수

o 基本的 필수 人員만 殘留하고 勤勞者 철수

- 政府가 취한 措置 및 向後 對策 (별첨)

5) 國內資産 凍結 問題

o 쿠웨이트 民間資産 18백만불 뿐이므로 凍結問題 없음.

6) 一般商品 交易規制

o 業體에 대한 行政指導를 통해 一般商品 交易 自制 誘導 및 商品 通關 抑制 等으로 事實上 交易中斷

- 我國의 對이라크·쿠웨이트 商品交易은 事實上 中斷 狀態

o 商工部長官이 外國換銀行長에게 輸出入 承認 禁止措置를 通報 함으로써 實效性 있는 交易制裁 措置를 취할 수 있으나 同 措置는 당분간 狀況進展을 보아가며 추후 檢討

- 旣契約分 輸出 不能으로 인한 對政府 補償要求 및 輸出保險 부보분에 대한 保險金 支給 問題 發生

- 여타 國家들이 실제로 여하히 一般商品 交易을 效果的으로 統制하게 될 것인지 여부에 대한 確認 必要(美.日의 경우 確認 報告토록 電文 指示中)

- 事態가 長期化 되는 경우에만 취할 必要性이 있음.

* 對外貿易法 第4條에 의거 商工部長官은 " 貿易相對國에 戰爭·사변 또는 천재지변이 있을때 大統領令이 정하는 바에 의하여 物品의 輸出·輸入의 制限 또는 禁止에 관한 特別 措置 可能"

9 - 8

0100

* 現行 輸出入 承認制度

- '輸出入公告'上 自由化品目(戰略物資等 一部 除外) : 商工部長官의 承認事項이나 外國換 銀行長에게 위임
- '統合公告'上 品目(防衛産業法等 40여개 個別法) : 主務長官(主要 防産物資 : 國防部長官)이 輸出入許可

다. 對美 通報

ㅇ 上記 措置計劃 對美 通報
(단, 商工部長官의 外國換銀行長에 대한 輸出入承認 禁止 措置 關聯事項은 對美 通報 保留)

ㅇ 美側이 一般商品 交易規制 措置를 具體的으로 要請해 오는 경우에는 上記 方針에 따라 我側立場(狀況進展을 보아 추후 檢討) 說明

라. 對外發表 및 弘報問題

ㅇ UN 決議를 尊重하여 취하는 措置임을 浮刻

- 一般 國民들이 美國의 壓力에 의해 취해지는 措置가 아니라는 점을 認識하도록 함.

ㅇ 具體的 事案別 措置 計劃의 상세 內容은 밝히지 않음.

ㅇ 發表文(案)

政府는 이라크의 쿠웨이트 침공과 關聯하여 유엔 非會員國을 包含한 모든 國家에 대해서 要求하고 있는 유엔安保理 決議(661호)를 지지하고, 關係部處는 別途로 그 具體的 實踐方案을 樹立 施行키로 決定하였다. (끝)

예고 : 90.12.31일반

9 - 9

0101

UN 안보리 661호에 관한 아국 입장 (안)

o 아국은 과거 UN 안보리의 대 로데지아 제재 결의 및 남아공 제재 결의를 충실히 이행하여 왔음

o 금번 안보리 결의 661호와 관련, 아국은 이미 이라크에 대한 무기 수급을 전면 금지하고 있으며, 유류 수입 및 교역의 사실상 중단, 신규 건설 수주 자제 등으로 결의 내용을 실질적으로 수용하고 있음

o 아국은 안보리 결의 661호의 정진과 취지를 전적으로 지지하는 기본 입장임

o 그러나 아국이 개도국 으로서 이라크에 대한 LEAVERAGE 가 미국, EC, 일본 등에 비하여 현저히 약하다는 점에 고심하고 있음

o 아국의 경우 이라크 쿠웨이트에 1,200 여명의 국민이 있으며 7억불에 육박하는 건설 미수금 등으로 아국의 경제 제재 조치가 이라크측에 실효를 거두기 보다는 역이용 될 공산이 큼

o 특히 이라크군 1981년 북한이 이란을 지원 한다는 이유로 즉각 단교한바 있음에 비추어 아국 제재 조치시 유사한 외교 보복 가능성이 배제할수 없으며 아국 교민의 인질 가능성도 농후함

o 이러한 상황 하에서 정부는 안보리 결의 동참 문제를 신중히 검토하고 있는바, 이러한 분단국가라는 특수 상황에 대한 국제 사회의 이해가 요망됨

0102

공보관실
90. 8. 9.
19:30시

유종하 외무부차관 발표문

(총리주재 관계 부처 장관 대책회의 내용)

유엔 안보이사회 결의 661호와 관련한 "데 꾸에야르" 유엔사무총장의 요청을 받고, 정부는 8.9. 오후 총리 주재하에 관계 부처 장관 회의를 개최하였음. 이 회의에는 부총리,안기부(차장), 외무(차관), 재무, 국방, 상공, 동자, 건설, 노동, 교통부와 공보처 장관이 참석하였음.

이 회의에서 정부는 유엔 안보이사회 결의에 충분히 부응하는 조치가 필요하다는 결정을 내리고 구체적으로 다음 분야에 있어서 즉시 조치를 취하기로 하였음.

1. 이라크와 쿠웨이트 지역으로 부터 오는 원유 수입은 금지한다.

2. 이 지역과의 상품교역도 의약품등 인도적인 소요에 해당하는 물품을 제외하고는 수입과 수출을 공히 금지한다.
   유엔 결의에는 특히 무기 수출 금지를 요청하고 있는 바, 한국은 무기를 수출한 적도 없고 앞으로도 수출하지 않는다.

3. 이 양 지역에 있어서 건설 공사는 수주하지 않는다.

4. 이라크와 쿠웨이트 정부 자산의 동결 요청에 대하여는 이러한 자산이 한국내에는 없음을 확인한다.

이와 별도로 오늘 회의에서는 현지 근로자를 포함한 우리 진출 인원의 안전 대책을 세밀히 검토하였는 바, 현지와 긴밀히 연락하여 모든 가능한 안전 조치를 강구해 나가기로 하였음.

이러한 제재 조치의 이행과 현지 교민의 안전 대책을 위하여 외무부 權丙鉉 본부대사를 장으로 하고 관계 부처 국장으로 구성되는 대책반을 설치 금 8.9. 부터 운영키로 하였음. 끝.

0103 ~~0028~~

	분류번호	보존기간

발 신 전 보

번 호 : AM-0144 900809 1909 FC 종별 : 긴급

수 신 : 주 전 재외 공관장 대사, 총영사 (주 이라크 대사관 제외)

발 신 : 장 관 (중근동)

제 목 : 대 이라크 제재 조치

유엔 안보리 결의 661호(대 이라크 제재)와 관련, 유종하 차관은 금 8.9. 기자 브리핑시 기자 질문에 대하여 별첨과 같이 답변한바, 업무에 참고하시기 바람.

첨 부 : 기자회견 내용. 끝.

(중동아국장 이 두 복)

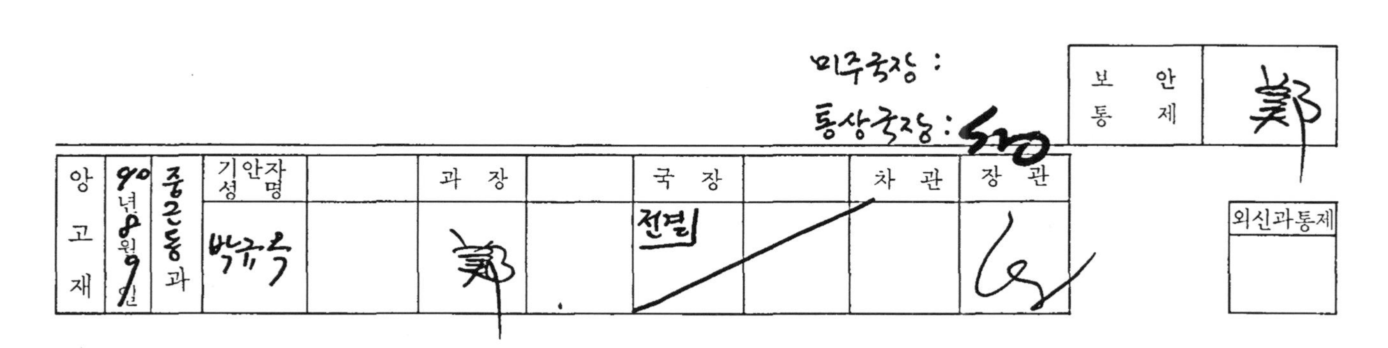

미주국장 :
통상국장 :
보 안 통 제
앙 고 재
90년 8월 9일
중근동과
기안자 성 명
과 장
국 장
전결
차 관
장 관
외신과통제

0104

COMMENTS BY VICE FOREIGN MINISTER YOO CHONG-HA
(AT a PRESS BRIEFING at 10:00 A.M., AUG. 9. 1990)

The Republic of Korea supports the U.N. Security Council Resolution No. 661, regarding economic sanctions against Iraq.
An inter-ministerial meeting for implementation of this resolution will take place in the afternoon of August 9.

We have already demanded the immediate withdrawal of Iraqi troops from Kuwaiti territory, and we reemphasize this position.

(To a question) The Government of the Republic of Korea makes it clear that the annexation of Kuwait by Iraq is unacceptable.

0105

관리 번호	90/830

	분류번호	보존기간

발 신 전 보

번 호 : AM-0145 900809 2245 EY 종별 : 긴 급

WHG-637
WPD-491
WSV-545
WYG-318

수 신 : 주 전재외 공관장 대사. 총영사 (주이라크, 유엔, 미국대사 제외)

발 신 : 장 관 (중근동)

제 목 : 대이라크 제재 조치

연 : AM - 0144

1. 유엔 안보리 결의 661 호(대이라크 제재)와 관련, 정부는 8.9. 총리 주재하에 관계부처 장관 회의를 개최하고 다음 사항에 대하여 즉시 조치키로 하였음.

가. 이라크와 쿠웨이트 지역으로부터 오는 원유 수입은 금지한다.

나. 이지역과의 상품 교역도 의약품등 인도적인 소요에 해당하는 물품을 제외하고는 수입과 수출을 공히 금지한다. 유엔 결의에는 특히 무기 수출 금지를 요청하고 있는바, 한국은 무기를 수출한 적도 없고 앞으로도 수출하지 않는다.

다. 이 양 지역에 있어서 건설 공사는 수주하지 않는다.

라. 이라크와 쿠웨이트 정부 자산의 동결 요청에 대하여는 이러한 자산이 한국내에는 없음을 확인한다.

2. 이와 별도로 오늘 회의에서는 현지 근로자를 포함한 우리 진출 요원의 안전 대책을 세밀히 검토하였는바, 현지와 긴밀히 연락하여 모든 가능한 안전 조치를 강구해 나가기로 하였음.

3. 상기 내용을 업무에 참고바라며 ~~특이 사항 있으면~~ 보고 바람. 끝.

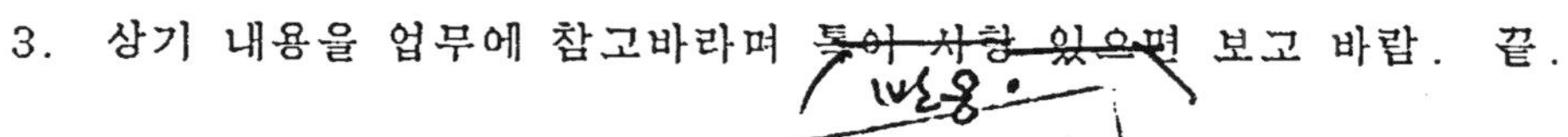

(중동아국장 이두복)

예고 : 90.12.31. 일반

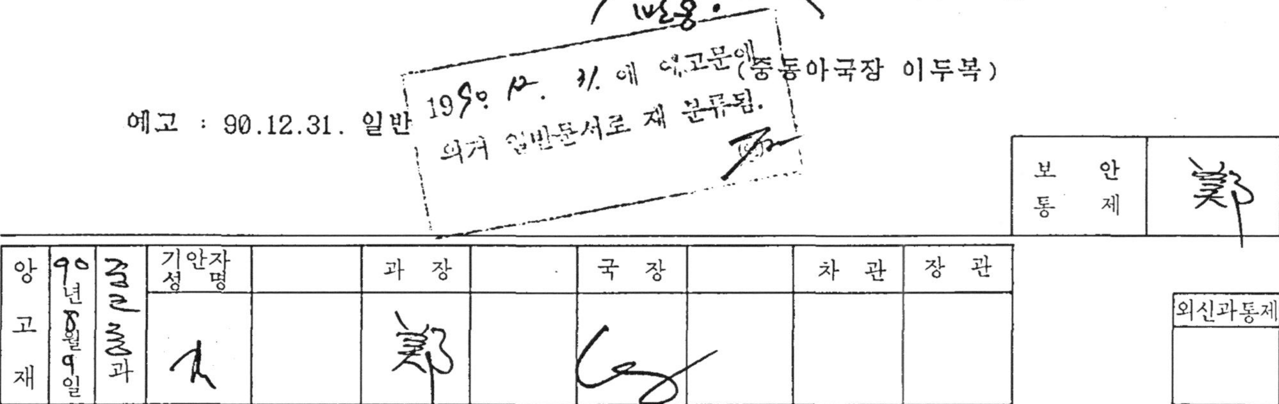

보안 통제	

앙 고 재	90년 8월 9일	중근동과	기안자 성명		과 장		국 장		차 관	장 관

외신과통제

0106

實利보다 국제制裁 名分선택

政府, 유엔의 對이라크制裁 동참결정 안팎

美 강력요청에 신중태도 바꿔

6·25때 유엔도움·거센 國際여론도 고려

僑民안전·에너지대책등 후속대책 부심

○…정부가 9일 [illegible]

[illegible]

정부 발표문 <全文>

[illegible]

1990. 8. 10

0107 한국일보

쿠웨이트 사태 관련 각국의 조치

90. 8. 10.

미주국 북미과

1. 미 국

가. 사우디 파병 내역

o 미 지상군 등 12,000명 사우디 도착
  - 3개 공정여단(각 2,100명)
  - 포병, 헬리콥터 부대
  - F-15 전투기 48대
  - F-16(지상공격용) 수 미상

o 약 5만명 선까지 증강 계획
  * 쿠웨이트내 이라크 병력은 20만명으로 추산

나. 기타 군사조치

o 항모 3척(탑재기 245대) 등 함정 49척 파견
  - 항모 Eisenhower : 수에즈 운하 통과, 페르샤만으로 항진중
  - 항모 Saratoga : 다음 주말까지 작전지역 도착 예정
  - 항모 Independence : 호르무즈 외해에 정박

o 터키 배치 F-111 전폭기 14대, 터키 기지에서 훈련중
  - 이라크 국경까지 비행시간 30분 지역

o AWACS 5대 추가 파견

o B-52 폭격기, 인도양의 디에고 가르시아 기지에서 출동 대기중

o 사우디에 F-15 전투기 40대 인도
  - 긴급 무기 공여법에 의거한 대통령 행정 명령(8.8)

0108

o 이라크가 화학무기를 사용할 경우 핵무기 사용등 대량 보복책 고려 (8.9. ABC-TV 보도)

* 주희랍 이라크 대사는 미국이 이라크를 공격할 경우 독가스 사용 경고

다. 외교적 조치

o Baker 국무장관

- 터키 방문, 이라크의 터키 침공시 NATO의 지원 약속(8.9)
- NATO 국가들이 필요시 미국의 페르샤만 군사 행동을 지원해 줄 것을 요청(8.10. NATO 외상회의에 앞선 사전 접촉)

o John Kelly 국무부 근동차관보, 8.9. 시리아 방문

o 8.9. UN 안보리 결의 채택

- 이라크의 쿠웨이트 합병, 또는 쿠웨이트의 지위를 변경하려는 여하한 시도도 무효임을 선언
- 이라크군의 즉각 철군 촉구
- 각국이 이라크의 쿠웨이트 합병 인정, 또는 간접적 승인으로 해석될 수 있는 행동을 자제해 줄 것을 요청

* Bush 대통령은 예정대로 8.10-9.3간 New England에서 휴가

2. 여타 국가

가. 아랍 정상회담 연기

o 8.9. 개최 예정이었으나, 8.10.로 일단 연기

o 이라크에서는 제1부총리, 군사 평의회 위원들만 참석

- 효과적 행동에 합의 난망

나. 영국, 전투기 파견(8.9. Tom King 국방장관 발표)

o 사이프러스 배치 Tornado F-3 전투기 중대, 주말에 사우디로 이동

0109

o 영국 배치 Jaguar 전투기 중대, 걸프지역으로 이동

o 전투기 호위 SAM 미사일, 해양 경비 항공기 파견

o 소해정 3척 동지중해 파견

o 총지원 병력 1,000명

다. 쏘련, 외무부 성명(8.9)

o 이라크의 쿠웨이트 합병 비난

o UN에 의해 군사 행동이 조직될 경우, 동참 고려

- UN 기치하의 집단 대응 촉구

- 미국 등의 파병이 긴장을 고조시키고 있음을 암시

* 쏘 전함 2척 수에즈 운하 통과, 홍해 진입(이집트 소식통)

라. 호주, 해.공군 파견 결정(언론 보도)

마. 요르단, UN안보리 결의에 따른 대이라크 제재 실행 계획(유럽 외교 소식통)

o 홍해의 아카바항으로 통하는 육상 통로 폐쇄

바. 터키, 육.공군 비상대기령

o 병력, 전투기, 미사일 발사대 등 이라크 접경으로 이동

사. 프랑스, Mitterand 대통령 기자 회견(8.9)

o 다국적군에는 불참할 것이며, 아랍권 내부에서의 해결을 희망함.

o 그러나 해결에 실패할 경우, 사우디 등 국가에 물자.기술 지원 제공 예정

아. 중국, 외교부 성명(8.9)

o 아랍국가 스스로에 의한 해결에 찬성

o 외세의 개입은 위기 상황을 심화시킴을 경고

0110

자. 대만, 외무성 발표(8.9)

- 이라크의 쿠웨이트 합병 비난
- 대이라크 제재에 동참하는 방안 신중 검토중

차. 이란, 이라크의 쿠웨이트 합병 비난

0111

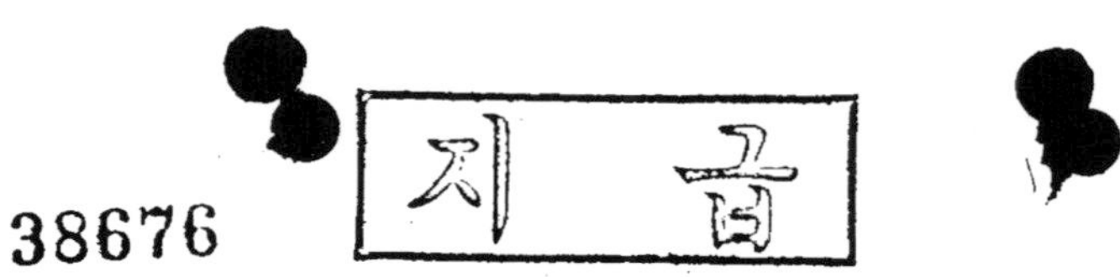

38676

지급

기 안 용 지

분류기호 문서번호	중근동 720-	(전화 :)	시 행 상 특별취급	
보존기간	영구·준영구. 10. 5. 3. 1.	장 관		
수 신 처 보존기간				
시행일자	1990. 8. 10.			
보조기관 국 장	전결	협조기관		문서통제
심의관	출장			
과 장				
기안책임자	박규옥			발송인
경 유 수 신 참 조	내무부 장관 치안본부장	발신명의		
제 목	외국공관 경비 증원 협조			

최근 악화되고 있는 이라크, 쿠웨이트 사태와 관련 주한 이라크 및 사우디 대사관은 자국 공관 시설 보호 및 공관원의 신변 안전을 위하여 아래 건물에 대한 경비 병력의 긴급 증원을 요청하여 왔는바, 필요한 조치를 취하여 주시기 바랍니다.

- 아 래 -

1. 사우디 : 대사관건물, 대사관저, 무관부건물, 무관주택
2. 이라크 : 대사관 건물 및 대사관저. 끝.

0112

1505-25(2-1) 일(1)갑
85. 9. 9. 승인 "내가아낀 종이 한장 늘어나는 나라살림"
190㎜×268㎜ 인쇄용지 2급 60g/㎡
가 40-41 1990. 3. 30

بسم الله الرحمن الرحيم

Royal Embassy of Saudi Arabia Seoul

سفارة المملكة العربية السعودية سيول

95/4/1/38

TOP SECRET

August 9, 1990

Excellency,

I have the great honour and privilege to bring forward to your esteemed office the following instruction which I have received from the highest authority in the Kingdom of Saudi Arabia, requested to be transmitted to the highest authority in the Republic of Korea.

It is presumably to Your Excellency's best knowledge that as an aftermath of the current situation in the Gulf Region, and the recent developments in the areas where tension is mounting, international terrorists might capitalize on this event, and seize the opportunity to conduct their activities aimed at disrupting order or creating conflict in the interests of the Kingdom and its citizens in any part of the world. For this reason, it is very essential that additional security protection be strengthened at the chancery, at the official residence of the Ambassador, at the office of the Military Attache (and his staff), and at his residence.

In view of the cordial relations between our two countries, and the urgent necessity for the facilitation of this request, I will highly appreciate Your Excellency's valuable assistance and cooperation on this matter.

Please accept, Excellency, the assurances of my highest consideration and best regards.

Sincerely yours,

Mohammed A. Al-Shewaihy
Ambassador

His Excellency
Choi Ho-Joong
Minister of Foreign Affairs
Republic of Korea

0113

이라크, 쿠웨이트 아국 교민 철수
관 련 자 료

90. 8. 10.

중 동 아 프 리 카 국

0114

1. 이라크, 쿠웨이트, 사우디 아국 교민 현황

국명 \ 구분	교 민 현 황	교 민 피 해 현 황	철 수 관 련 문 제 점
이 라 크	o 현재 총 721명 - 진출업체 근로자 666명 - 주재 상사원 및 가족 10명 - 공관원 및 가족 40명 - 기 타 6명	o 현재로서는 없음 (공관 보고)	o 공항, 해로 및 국경 폐쇄와 외국인의 출입국 통제로 현재로서 비상 철수 사실상 불가능 o 특별기 이용 투입, 철수만이 유일한 방법(주재국 정부 허가 여부 문제)
쿠웨이트	o 현재 총 642명 - 진출업체 근로자 319명 - 주재 상사원 및 가족 38명 - 공관원및가족(KORTA 포함) 39명 - 기 타 252명	o 미귀환자 3명 (1명은 이라크군 영내 억류, 2명은 행방불명)	o 쿠웨이트에서의 일체 출국 금지 o 육로로 이라크, 사우디 경유 출국 및 해상 피난 방법이 있으나, 교통수단 해결 난망 및 이라크 정부 허가 여부가 문제
사 우 디	o 현재 총 6,091명 - 진출업체 근로자 3,856명 - 상사 및 은행 주재원 225명 - 공관원및가족(교사포함) 173명 - 기 타 1,837명	o 현재로서는 없음 (공관 보고)	

0115

2. 이라크 및 쿠웨이트 아국 교민 철수 문제 현황 (8.10)

공관명 / 구분	상 황	비상철수계획	당면조치사항	비고(당부기조치사항)
주 이라크 대사관	o 공항 및 국경 폐쇄 o 외국인의 출입국 제한 - 단기사증 입국 외국인은 출국 허용 - 장기체류 외국인에게 출국비자 불허 o 쿠웨이트 체류 아국 교민의 이라크 경유 출국 문제는 신정부 당국과 협의할 사항 (이라크 외무성 ejjam 영사국장 시사) o 공항, 국경을 통한 인접국 철수 불가능 o 2개월분 정도의 비상 식품 비축 o 지금이후 모든 자국의 대 쿠웨이트 송금 중단 o 바그다드 주재 KOTRA는 공관 주도하에 비상 대피중	o 공항, 국경을 통한 인접국으로의 철수는 불가능, 장기 체류자 출국비자 발급 중단으로 비상철수 사실 불가능 o 유일한 방법은 특별기 투입, 철수 * 특별기 이용 전제하 철수 기본 원칙 - 단기여행자 긴급 철수 독려 - 장기체류자중 1인 또는 소수인원 주재 업체에 철수 가능 방법 모색 조속 철수 지시 - 장기 체류자의 출국 사증 획득 독려 - 당관 및 진출업체 직원 가족 철수방법 최대 모색	o 특별기 투입 협의 및 이라크 정부 지원 교섭 ※ 주 이라크 대사, 특별기 투입 문제, 주재국 당국과 협의 예정이라 함	o 교민 철수문제 공관장 판단하에 긴급 철수 지시 (8.7) o 요르단 국경 출국 허용 여부 파악 보고 지시 (8.7) (주 요르단,터어키 대사) o 인접국 공관에 아국 교민 철수 대비, 필요 사항 준비 지시(8.8) (주 바레인,UAE, 터어키, 이란, 요르단 대사) o 국제 적십자사 접촉, 교민 안전 철수 문제 협조 요청 지시 (주 제네바 대사)(8.8)

0116

공관명 구분	상 황	비상철수계획	당면조치사항	비고(당부기조치사항)
주 쿠웨이트 대사관	o 쿠웨이트에서의 일체 출국 금지 o 4명의 공관 직원 제외 공관원 및 가족 전원 철수 o 바그다드로의 이동문제 판단 곤란 o 2주일 정도의 비상식품 비축(현대건설 제외) o 8.3.이래 50여명 대피 인원 공관 피난 및 사태 여하에 따라 200 명 정도 대피 예상 o 교민 긴급 소집 준비 완료	o 철수 방안 검토 - 쿠웨이트에서 출국, 일단 이라크로 이동, 이라크 출국 - 육로로 사우디 주변으로 출국 - 해상 피난등 o 철수시까지 대피 예정 ※ 현대측은 이라크의 바그다드, 바스라 이동 검토중	o 이라크행 교통 수단 방안 강구 o 특별기 투입 문제 검토 o 이라크 정부의 동의를 얻기 위한 교섭	
주 사우디 대사관				o 교민 비상 대피 철수 계획 수립 지시 (8.5)

0117

이라크, 쿠웨이트 사태 악화 대비 아국인 철수 계획 관련 CHECK LIST

1. 긴급 철수 기본 대책 수립

2. 관련부처 실무자 회의 소집(합동 대책반 구성 운영)

3. 현지 공관 지시
   - 아국 근로자 자체의 동요 방지 위한 구체적 대책 수립
   - 긴급 철수방안 수립
   - 기타 철수 관련 필요사항

4. 인근국 아국 공관에 지시
   - 긴급 철수 관련 입국가능 인근국에 대한 사전 교섭

5. KAL 등 항공업체 협조 요청
   - 특별 전세기 운항 방안 강구

6. 걸프만 운항 아국 화물선 및 상선등 파악
   - 용선 가능 여부등 파악

7. 우방국과의 사전 협조 요청

   〈이라크 정부〉
   . 아국인 집결지에 대한 보호 경비
   . 아국인 수송 안전 보장
   . 공항, 항만 사용 지원(군용 포함)
   . 환자 처리 지원

   〈우방국(미,영,일,불등)〉
   . 아국인의 우방국 시설 사용 및 보호(수송 수단 포함)
   . 자국민 철수시(피난 구조 항공기 파견에 대한 협의 포함)아국인 탑승
   . 환자 처리 지원
   . 미국등 군사 강국의 대이라크 군사 조치 여부 사전 파악 노력

0118

<주변국가>

. 아국인 대피 입국 지원

. 항공기, 선박등 가용 수송 수단의 임대 지원

8. 주이라크 및 쿠웨이트 비상금 증액 및 인접국가(바레인, 이란, UAE, 애굽등) 공관에도 비상금 확보

9. 진출 우방 국가 철수 계획 파악 지시(주미, 영, 불, 일대사등)

10. 긴급 상황시 공관원 철수 및 현지 공관장 재량하 긴급 철수 허용 지시

11. 합동 대책반 구성 운영(10개 부처 편성) :
경기원, 외무, 안기, 건설, 상공, 교통, 노동(항만청, 수산청)

12. 관련 부처에 협조 요청

- 경기원 : . 예산 확보(외국업체 근로자 및 부동 인력 철수 경비 포함)
- 안기부 : 철수 계획 협의
- 국방부 : 인접국 또는 우방국 공군 기지 이용 협의
- 건설부, 상공부 : . 진출업체 사업장별 철수 지도
  . 공사 계약 해지에 따른 대책 강구
  . 장비 철수를 위한 절차 추진
- 노동부 : . 근로자 철수 세부 계획 수립 및 근로자 안전 보호 방침 강구
  . 진출업체 근로자 임금 및 노사 관계등 해결
- 교통, 수산청 및 해운항만청 : 교통 수단 지원
- K A L : 특별 전세기 운항
- 외무부 : 철수계획 수립
  철수업무 관장

13. 기타 필요 사항

0119

전 언 통 신 문

통일 2065- 1990. 8. 10

수신 수신처참조

제목 대이라크 경제제재

정부가 90.8.9 발표한 대이라크 경제제재조치에 대한 시행방안을 협의하기 위하여 아래와 같이 관계부처 회의를 개최코자 하오니 참석하여 주시기 바랍니다.

- 아 래 -

1. 일 시 : 90.8.11(토) 11:00
2. 장 소 : 외무부 회의실(정부 제1청사 810호)
3. 참석범위

가. 외무부 차관 : 취지 설명

나. 회의주재 : 권병현 외무부 본부대사(쿠웨이트사태 대책반장)

다. 참 석 자 : 경제기획원 제1협력관

경제기획원	제1협력관
외 무 부	중동아국장
"	통상국장
"	국제경제국장
"	영사교민국장
국 방 부	방산국장
재 무 부	국제금융국장
상 공 부	상역국장
동력자원부	석유조정관
건 설 부	해외협력관
노 동 부	직업안정국장
교 통 부	항공국장
안전기획부	국제1국장

중동아 국장
경제 국장
영교 국장

// 계속.....

앙고재	통상1과	90 년 월 일	담 당	과 장	국 장	차관보	차 관	반 장
			안총기					

0120

차관에 보고필

4. 의 제

가. 대이라크 경제제재조치 세부 시행방안

나. 아국 교민 철수 대책. 끝.

통화일시 :

송 화 자 :

수 화 자 :

수신처 : 경제기획원, 국방부, 재무부, 상공부, 동력자원부, 건설부, 노동부, 교통부장관,
국가안전기획부장

0121

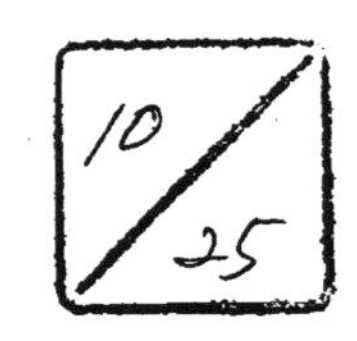

쿠웨이트 및 이라크 교민 철수 대책 회의자료

일 시 : 1990. 8. 11. (토) 11:00
외무부 회의실 (정부제1종합청사 810호)

외 무 부
중 동 아 프 리 카 국

0122

목 차

0123

I. 정 세 개 황

o 이라크, 쿠웨이트를 침공(8.2)하여 전역을 완전 점령(8.4)후 이라크 10만 병력을 사우디 국경지대로 이동 집결 (8.5)

o 부시 미 대통령, 이라크의 사우디등 여타국가 침공시, 무력 사용 시사, 이라크 괴뢰 정권인 쿠웨이트 임정 불허

o 미국의 대 이라크 군사개입 및 UN 제재 결의를 통한 대 이라크 압력 가중 및 이라크의 결사항전 태세로 긴박한 상황 전개

o 동 사태 악화로 치안 부재속 이라크, 쿠웨이트(이라크 732명, 쿠웨이트 648명)교민용 식량 문제 심각

o 이라크, 쿠웨이트 공항 및 해로 폐쇄 상태에서 이라크가 서방 진영 400여명 체포 및 체류인원 인질 가능성 있음.

o 상기같은 급박한 상황 아래, 아국 교민의 긴급 철수 필요성이 있으나, 현재로서 철수 방법 모색이 어려운 상태임

II. 교민 현황

국명 \ 구분	교 민 현 황
이 라 크	o 현재 총 732명 - 진출업체 근로자 660명 - 주재 상사원 및 가족 26명 - 공관원 및 가족 26명 - 기 타 20명
쿠웨이트	o 현재 총 648명 - 진출업체 근로자 319명 - 주재 상사원 및 가족 38명 - 공관원및가족(KORTA 포함) 39명 - 기 타 252명

※ 교민수 총 : 1,380명

0124

Ⅲ. 이라크 및 쿠웨이트 아국 교민 철수 대책(안) : (별첨)

Ⅳ. 당부 조치 사항

o 주 이라크, 쿠웨이트 대사관에 아국 교민 안전 대책 강구 및 긴급 철수 계획 수립 지시 및 사태 진전 사항보고 지시 (8.1)

o 주요 국가 반응 및 사태 파악 지시 (주요공관) (8.2)

o 현지공관 조치사항 (8.2)

<주 쿠웨이트>

- 쿠웨이트 건설현장 인원 캠프로 철수
- 비상연락망 유지, 비상시 철수 계획 점검

<주 이라크>

- 진출업체 공사 현장 안전 대책 강구
- 만일의 사태 대비, 대피 및 사태 상응 행동 사전 강구 수립

o 주 이라크 대사관에 요르단 경유 교민 철수 가능성 확인 보고 지시 (8.7)

o 주 제네바 대사에게 국제적십자사 접촉코 교민 보호 및 철수 문제 협조 요청 (8.7)

o 교민 철수 문제 공관장 재량하에 철수 결정 지시 (8.7)

o 주 리비아등 8개 아국 공관에 주재국 이라크 대사와 접촉, 이라크, 쿠웨이트 거주 아국 교민 안전 확보 교섭 지시 (8.8)

o 이라크, 쿠웨이트 인접국 공관에 아국 교민 철수 대책 필요사항 준비 지시 (주 바레인, UAE, 터어키, 이란, 요르단 대사) (8.8)

o 주요공관에 주재국의 자국 교민 보호 및 철수 대책 파악 및 협조 가능성 여부 타진 보고 지시 (8.8)

o 교민 철수 관련, 특별기 운항에 대해 이라크 정부에 협조 요청 지시 (주 이라크 대사, 8.9)

0125

V. 문제점

구분 공관명	상황	현지공관비상철수계획	철수관련 문제점
이라크	o 공항 및 국경 폐쇄 o 외국인의 출입국 제한 - 단기사증 입국 외국인은 출국 허용 - 장기체류 외국인에게 출국비자 불허 o 쿠웨이트 체류 아국 교민의 이라크 경유 출국 문제는 신정부 당국과 협의할 사항 (이라크 외무성 ejjam 영사국장 시사) o 공항, 국경을 통한 인접국 철수 불가능 o 2개월분 정도의 비상 식품 비축 o 지금이후 모든 자국의 대 쿠웨이트 송금 중단 o 바그다드 주재 KOTRA는 공관 주도하에 비상 대피중	o 공항, 국경을 통한 인접국으로의 철수는 불가능, 장기 체류자 출국비자 발급 중단으로 비상철수, 사실상 불가능 o 유일한 방법은 특별기 투입, 철수 * 특별기 이용 전제하 철수 기본 원칙 - 단기여행자 긴급 철수 독려 - 장기체류자중 1인 또는 소수인원 주재 업체에 철수 가능 방법 모색 조속 철수 지시 - 장기 체류자의 출국 사증 획득 독려 - 당관 및 진출업체 직원 가족 철수방법 최대 모색	o 공항, 해로 및 국경 폐쇄와 외국인의 출입국 통제로 현재로서 비상 철수 사실상 불가능 o 특별기 이용 투입, 철수만이 유일한 방법이나 주재국 정부 허가 여부가 문제 ※ 주 이라크 대사, 주재국 당국과 협의 예정이라 함

0126

공관명 \ 구분	상 황	현지공관비상철수계획	철수관련 문제점
쿠웨이트	o 쿠웨이트에서의 일체 출국 금지 o 4명의 공관 직원 제외 공관원 및 가족 전원 철수 예정 o 바그다드로의 이동문제 판단 곤란 o 2주일 정도의 비상식품 비축(현대건설 제외) o 8.3.이래 50여명 대피 인원 공관 피난 및 사태 여하에 따라 200 명 정도 대피 예상 o 교민 긴급 소집 준비 완료	o 철수 방안 검토 - 쿠웨이트에서 출국, 일단 이라크로 이동, 이라크 출국 - 육로로 사우디 주변으로 출국 - 해상 피난등 o 철수시까지 대피 예정	o 쿠웨이트에서의 일체 출국 금지 o 육로로 이라크, 사우디 경유 출국 및 해상 피난 방법이 있으나, 교통수단 해결 난망 및 이라크 정부 허가 여부가 문제

0127

Ⅵ. 타국의 교민 철수 관련 조치사항

국명＼구분	조치내용	비고
미국	o 이태리, 일본등과 공동으로, 외국인(자국인 포함) 안전 철수에 대한 국제 적십자위측에 협조 요청 o 이라크 거주 자국민 안전 보장을 이라크측에 요청	
일본	o 이라크 거주 교민의 안전 및 철수에 대해 이라크 정부측 협조 요청(주 이라크 일본 대사가 이라크 영사국장 면담)	- 이라크측의 호의적 검토 반응
	o 국제 적십자위 활용, 쿠웨이트 거주 교민 철수 방안 모색중	
	o 별도로 JAL측과 항공기 파견 문제 협의	- JAL측, 현재 보잉 747 또는 DC-107 쿠웨이트 파견 검토중
	※ 쿠웨이트 공항 재개 경우, 즉시 항공기 파견 가능토록 JAL기 비상 대기 조치 예정	※ 쿠웨이트 공항이 재개될시 아측도 항공기를 투입, 교민 철수토록 항공기 비상 대기 조치 할것을 제언
영국	o 이라크 및 쿠웨이트 체류 자국민 안전 철수에 대한 국제 적십자위의 협조를 요청	
프랑스	o 이라크 및 쿠웨이트 체류 자국민 안전 철수에 대한 국제 적십자위의 협조를 요청	
스웨덴	o 출국 희망 자국민 출국에 대한 이라크 정부 허가 요청	- 이라크 및 쿠웨이트 체류자 : 165명

0128

국명 구분	조 치 내 용	비 고
이 태 리	o 이라크 및 쿠웨이트 체류 EC 국민의 행동 자유에 대한 이라크 정부 보장 요청	
	o 자국민 철수 계획 준비, 이라크측과 접촉	
	o 국제 적십자위를 통한 자국민 철수 방안 모색중	
서 독	o 이라크 정부의 이라크 및 쿠웨이트 체류 자국민 출국 허용시, 요르단 암만에 육로로 집결, 특별수송기를 이용하는 철수 방안 검토	
	o 여타 EC국가와 공동으로, 자국민 안전 철수 문제 관련 이라크측과 교섭	
이 집 트	o 쿠웨이트 체류 자국민 보호를 이라크측에 요청	
	o 정부 차원의 철수 계획 없음	
인 도	o 철수 문제 불 고려	
파키스탄	o 현재 속수무책	
	o 이라크 및 쿠웨이트 체류 자국민 안전을 이라크측에 요청	- 이라크 체류교민 : 약 1만명 - 쿠웨이트 체류교민 : 92,000명

0129

첨부 : 쿠웨이트 및 이라크 아국 교민 철수 대책 (안)

1. 상　　황

o 현재 이라크 및 쿠웨이트 아국 교민은 1,380명 (이라크 732명, 쿠웨이트 648명)

o 이라크, 쿠웨이트 무력 사태 악화로 이라크, 쿠웨이트 국경 및 공항이 폐쇄

o 동 사태로 치안 부재 상태가 지속되는 가운데 이라크, 쿠웨이트내 아국 교민의 식량 문제가 심각

o 이라크는 쿠웨이트 체류 인원을 인질로 삼을 가능성 있으며, 서방 진영 400여명이 이라크로 강제 이동된 것으로 추정

o 상기와 같은 상황아래 아국 교민의 긴급 철수 필요성이 있으나, 현재로서는 철수 방법 모색이 어려운 상태임

2. 기본방침

o 일시, 전원 철수 추진을 원칙으로 함

o 관련 부처와 긴밀한 협조 아래 추진

o 안전 철수를 위한 이라크 정부와의 사전 긴밀 교섭

o 철수 인근국가 및 우방국가의 긴밀한 협조 유지

o 긴급상황 발생시, 현지 공관장 판단 아래 긴급 대피 철수

3. 철수 대책(안)

가. 철수를 위한 교섭 대상 : 이라크 및 쿠웨이트, 인근국과 미.일.영등 우방국가

0130

나. 철수 단계

1) 가능한 조속한 시기내 철수 개시

- 인접국으로 우선 철수후 사태를 보아 국내로 철수
- 인접 철수 대상국은 요르단, 터키, 바레인, UAE, 이란을 우선 고려
- 철수 지역은 현지 상황과 우송 수단의 이용 가능성등 고려 선정

2) 물자등은 우선 순위를 정해 수송 수단 보아 단계별 철수하되, 긴급시 인원만 우선 철수

다. 철수 방법

1) 지역별로 집결, 가능한 공로, 육로 및 해로 이용 대피, 철수
2) 직접 아국 수송편(KAL 및 아국선박) 이용, 인접국 또는 본국으로의 철수 개시(필요시 우방국 수송 수단 이용)
3) 이라크 정부측과 사전 교섭, 긴급 철수시 교민 안전 확보
4) 인접국으로 철수 대비, 동 인접국과 사전 교섭
5) 이라크 및 쿠웨이트 지원 거부시 상황에 따라 인근국 및 우방국 (미.일.영.불등)과 협조, 우방국 철수 교통편을 이용 철수
6) 진출 업체별 자체 철수 계획에 의거 시행시는 현지 공관과의 긴밀 협조하 추진

라. 세부 철수 방안

1) 집 결

o 시 기

- 철수 가능 방법 확인시 가능한 조속 철수

o 장 소

- 인근 아국업체 공사장 또는 아국 공관(필요시 우방국 시설물)
- 최종 집결지는 공항(공군기지 포함) 또는 항구이나, 공항 및 항구 폐쇄시 현 공사현장 및 아국공관

0131

o 방 법

- 산재 거주 교민의 인근 공사장등 집결
  (취약지구 공사장으로 부터 보다 안전하고 방위 용이한
  공사장등으로 이동 합류)

2) 철 수

o 수송(철수)지

<공로 및 해로 이용 가능시>

- 인접국가인 바레인 (또는 요르단)으로 임시 철수
- 사태 진전에 따라 바레인(요르단) - 서울로 철수

<육로 이용 가능시>

- 터어키 또는 요르단으로 임시 철수(가능시될 경우 이란도 고려)

o 수송 방법 및 수단

가) 공 로

- KAL 전세기를 이용 하기 공항을 통해 철수
- 필요시 우방국 수송 수단 이용
  (민간 국제 공항)
  . KAL 전세기 B 747 1대 이용(360명 수송)
  . (1차)
    서울 → 쿠웨이트 국제공항 → 바레인(또는 요르단)
    공항 2회 운항 (쿠웨이트 교민 648명 수송)
  . (2차)
    바레인(또는 요르단) → 바그다드, 사담공항 → 바레인
    (또는 요르단) 공항 2회 운항 (이라크 교민 732명 수송)
  . 소요비용 : 총 9억 8천만원 상당(137만불)
    (순수 항공입만 계산)

0132

. 수송 소요 시간 : 서울 → 쿠웨이트 → 바레인
(또는 요르단)간 운항
소요시간(1회) 18시간
바레인(또는 요르단) → 바그다드 →
바레인(또는 요르단) 운항
소요시간(1회) 6시간 (또는 4시간)

※ 현재로서 KAL 전세기 투입이 가장 바람직함(이라크 정부 허가시)

(이라크 및 쿠웨이트 공군 기지)

. 민간 국제공항 이용 불능시 추진
. KAL 전세기 B 747 1대 (동 기지 활용시 이라크 정부 지원 필요)
. 소요 비용은 상기와 동일

문제점 : 공항 폐쇄된 현 상황아래, 공로 이용 방법은 현실적
으로 어려움

나) 해 로

. 이용 가능한 항구는 바스라항(이라크) 및 쿠웨이트항,
슈와이크항 및 미날 압둘항(쿠웨이트)등임
. 긴급 철수 기항지는 바레인 마나마 항구임

- 상 선

. 이란.사우디.이라크 취항 아국 화물선 3척 동원(척당
350명 수송 가능) 출항후 1-2일내 바레인 기항
. 이라크 철수 :
집결지 →(육로) 쿠웨이트항 → 바레인 마나마항
. 쿠웨이트 철수 :
집결지 →(육로) 쿠웨이트항 → 바레인 마나마항

※ 여건에 따라 아국 선원 탑승 외국적 선박등 이용

0133

- 이 선

. 홍해 근처 조업중인 구일산업 소속 트롤선 1척 (125 大급, 100명 수송) 및 사우디 국적 용선 4척(300 大급, 400명 수송) 동원

. 출항후 2일내 집결항 입항 가능

※ 필요시 우방국 수송 선박 이용(가능 경우)

문제점 : 해상이 봉쇄된 현 상황 아래서는 해로 이용에 어려움 예상

다) 육 로

. 현재의 가능한 육로 철수 방법은 이라크에서 요르단 또는 터어키 국경 경유 철수 (별첨 자료 참조)

. 수송 수단은 각 현장장별 차량 활용(현지 실정 의거)

. 수 송 로

<u>이라크 철수</u> :

1) 지역별 집결지(각 공사현장 SITE별등) → 바그다드 → 요르단 국경(루트바근처, 538 ㎞, 7시간 소요)

2) 지역별 집결지 → 바그다드 → 터어키국경 (자코, (516 ㎞, 7시간 소요)

단), 바그다드 북부위치 집결지는 바로 요르단 및 터이키 국경으로 이동

<u>쿠웨이트 철수</u> :

1) 쿠웨이트 시내 → 이라크(사판지역) → 요르단(루트바근처, 총 1146 ㎞, 15시간 소요)

2) 쿠웨이트 시내 → 이라크(사판) → 터어키국경(자코, 총 1124 ㎞, 15시간 소요)

※ 육로 이용 긴급 대피 철수가 바람직하나 국경 폐쇄로 현실적 불가

0134

라) 우방국의 항공기나 선박 이용 방안 모색

- 미.영.일.불등 우방국 교민 철수시 아국 교민도 동승 철수토록 교섭

4. 조치사항

가. 관계부처 합동 회의 소집

- 안기부, 노동부, 건설부, 상공부, 교통부, 국방부, 수산청, 해운항만청등 유관부처 회의 소집코 철수 시기 및 방안등 논의

나. 상기 회의 결과에 따라 구체적 철수 추진

- 이라크, 쿠웨이트 정부를 대상으로 아국 전세기 및 선박을 통한 철수 방안에 대한 협조 요청
  (전세기 착륙 및 선박기항 허가등 병행 교섭)

다. 육로 철수 실시

- 공,해로 철수가 불가능할 경우 육로 철수 실시
- 가능한 모든 교민 동시에 철수 추진

라. 인접국에 대한 교섭

- 1차 철수 대상국에 아국민 입국 편리 제공 요청 교섭 실시

마. 아국 공관원 철수

- 상기 아국민 철수가 완료될 시점에서 공관원도 철수

5. 유의사항

가. 상기 공로, 해로, 육로에 의한 방법을 최대한 활용하더라도 아국 교민 전원을 안전하게 철수시키는 것은 사실상 어려운 실정

나. 현 상황 아래서 교민 철수 필요성이 있으나, 구체적 철수에는 다음과 같은 문제점

0135

1) 철수 교섭 상대자가 아측 요청에 응하지 않을 가능성

2) 교섭 방법과 철수 추진 방법등에서의 문제점

다. 긴급한 상황 아래 대다수 교민이 철수하지 못할 사태가 발생할 것이므로 이러한 사태 대응 아래와 같이 대처

1) 가능한한 다수가 한장소에 집결, 자위력 강화

2) 미국등 우방국의 이라크 제재 요청 및 유엔 결의등에 가능한 미온적으로 대응함으로서 아국민의 인질화 방지

3) 국제 적십자사등을 통한 철수 방안 모색

6. 당면 조치 사항

o 이라크, 쿠웨이트 사태 관련 우방국 정부의 사태 해결 전망 타진

0136

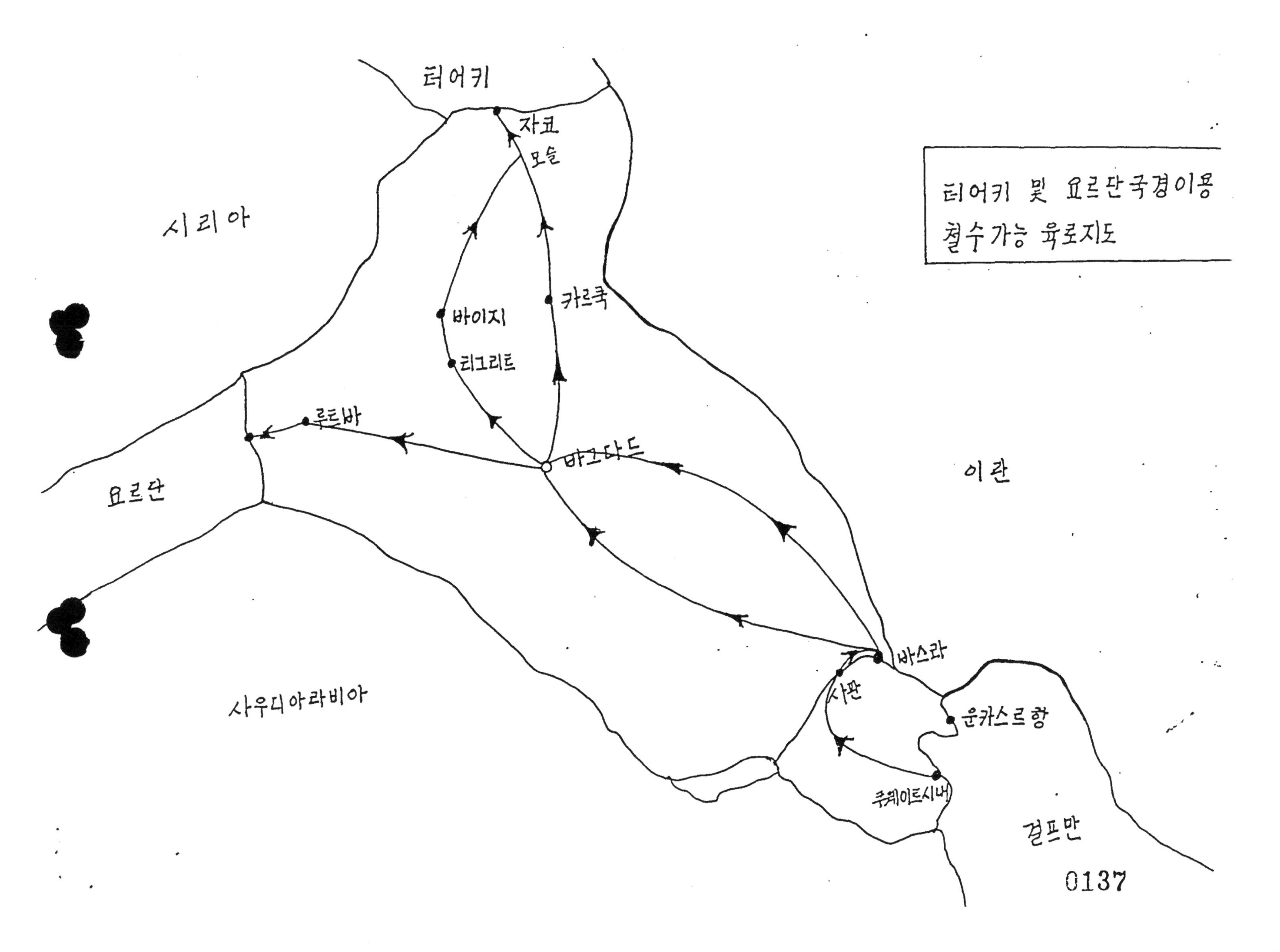
터어키 및 요르단국경이용
철수가능 육로지도
터어키
자코
모술
시리아
바이지
카르쿡
티그리트
루트바
바그다드
요르단
이란
사우디아라비아
바스라
사판
운카스르항
쿠웨이트시내
걸프만
0137

管理番號	

2/16

對이라크 經濟制裁措置 細部 對策會議 資料

1990.8.11

外 務 部
(通 商 局)

0138

目 次

I. 對이라크 經濟制裁措置 決定

1. 背 景

- ㅇ 유엔安保理 決議(8.6) 尊重
  - 我國은 유엔헌장 遵守 및 유엔의 諸決議 尊重(66.3. 對로디지아 制裁 同參等) 立場을 一貫되게 堅持
  - 同 決議는 非會員國에 대해서도 制裁 參與를 明示的으로 要請 (UN 事務總長, 8.8 外務長官에게 我國의 同參 要請)
- ㅇ 全世界的으로 制裁 雰圍氣 形成

2. 國務總理主宰 會議開催

- ㅇ 日 時 : 90.8.9(木) 17:00
- ㅇ 參 席 者 : 副總理, 安企部(次長), 外務部(次官), 財務部, 國防部, 商工部, 動資部, 建設部, 勞動部, 交通部, 公報處長官

3. 決定事項

- ㅇ UN 安保理 決議를 尊重, 對이라크 經濟制裁措置 實施
  - 이라크 및 쿠웨이트로부터의 原油 輸入禁止
  - 商品(醫藥品等 人道的 物品은 除外) 交易禁止 및 武器等 軍需物資 輸出禁止
  - 新規建設受注 禁止
  - * 各國內 이라크·쿠웨이트 資産 凍結關聯, 我國의 경우에는 同 資産이 없음을 確認
- ㅇ 現地 勤勞者等 滯留 我國民에 대해 可能한 安全措置 講究
- ㅇ 經濟制裁措置 履行 및 現地 我國民의 安全對策을 위한 對策班 設置
  - 권병현 外務部 本部大使를 班長으로 關係部處 局長으로 構成

10 - 2

0140

Ⅱ. UN 및 各國의 制裁現況

1. UN 安保理 決議(661호)

- ㅇ 이라크 또는 쿠웨이트와 商品交易 禁止 및 武器等 軍需物資 禁輸
- ㅇ 財政的, 經濟的 資源 提供 禁止 및 쿠웨이트 前政府 資産 保護
- ㅇ 유엔 非會員國을 包含한 모든國家가 同 決議案 以前의 契約이나 許可에도 불문하고 同 決議案을 嚴格히 遵守할 것을 促求
- * 13:0:2 (기권 : 쿠바, 예멘)로 채택
- * UN 安保理가 包括的 經濟制裁措置를 採擇한 것은 66년 로디지아에 대한 措置以後 두번째
- * UN 安保理決議 以前 制裁措置를 취한 國家中 同 決議보다 미약한 制裁措置를 發表한 國家(會員國)는 同 決議 水準의 措置를 취할 UN 憲章上 義務 發生

2. 美 國 (8.2)

- ㅇ 美國內 모든 이라크 및 쿠웨이트 資産 凍結
- ㅇ 對이라크 및 쿠웨이트 交易禁止
- ㅇ 사우디, 터어키에 동국 通過 이라크 송유관 폐쇄 要請
- * 이라크 및 쿠웨이트 滯留 美國人 4,000名

3. E C (8.4)

- ㅇ 對이라크 및 쿠웨이트 原油 輸入禁止
- ㅇ 會員國內 이라크 資産 凍結
- ㅇ 對이라크 武器 및 其他 軍事裝備 販賣禁止 및 軍事協力 中止
- ㅇ 對이라크 科學技術協力 및 GSP 附與 中止
- * 쿠웨이트 滯留 英國人 3,000名, 이라크의 對프랑스 債務 50億弗

4. 日本 (8.5)

- o 國內 이라크 및 쿠웨이트 資産 凍結 및 資本去來 禁止
- o 對이라크 및 쿠웨이트 原油導入 中斷 및 輸出禁止
- o 對이라크 經濟協力 停止(엔借款 凍結)
- * 日本의 全體 原油導入中 이라크産 8%, 쿠웨이트産 5.9% 차지

5. 蘇聯 및 中國

- o 對이라크 武器販賣 中止

III. 美·日의 經濟制裁 履行 措置

1. 美國

가. 施行 時期

o 8.2 行政命令 公布와 同時 制裁措置 發效

나. 具體的 施行措置

o 行政命令 公布와 同時에 各 行政機關은 交易禁止를 위한 機關別 具體的 措置를 講究

- 財務部 所屬 Office of Foreign Assets Control 은 즉시 聯邦準備銀行과 民間投資會社에 美國內 이라크 資産 凍結을 指示

- 稅關은 對이라크 輸出品 및 輸入品의 通關保留 및 押留等 措置

o 原油의 경우, 8.2以前 船積, 10.1까지 美國到着分에 대해서는 輸入은 許可하나, 同 代金을 美國內 凍結 口座에 預置

* 大統領令 公布後 2-3週內에 資産 凍結, 交易禁止等 具體的 實施方案에 대한 施行令 制定 豫定

2. 日本

가. 施行 時期

o 8.9 通産省 告示 301號 發表로 施行

나. 具體的 施行措置

o 輸入承認 對象地域 및 對象品目으로 이라크, 쿠웨이트 原産 또는 船積의 모든 物品 追加

- 內部的으로 8.8 以前 船積의 경우外에는 輸入 不承認 方針

* 輸出制裁措置는 今週 또는 來週初에 發表 豫定

Ⅳ. 細部 措置事項別 檢討

1. 原油導入 禁止

가. 原油導入 現況

	導入量(千 B/D)	全體導入量中 比重
이 라 크	39	4.2%
쿠웨이트	70	7.6%
~~중립지대~~	~~37~~	~~4.0%~~
計	~~146~~ 109	~~15.8%~~ 11.8

※ 國內 1日平均 消費量 ~~848千~~ 787千 B/D

8월 65 mb/d
₩6,200 KPC

나. 檢討事項

o 旣導入 原油에 대한 代金 決濟 問題

- 이라크, 쿠웨이트 共히 國營石油會社

o 事態發生前 船積되어 現在 我國으로 運送中인 原油의 處理 問題

* 美國은 8.2 以前 船積, 10.1 以前 美國 到着分 輸入은 許可하나
  該當 原油代金은 美國內 凍結口座에 預置

o 이라크, 쿠웨이트와 締結한 長期 原油導入契約 不履行과 關聯한 問題

- 이라크 20千, 쿠웨이트 55千 B/D

o 不足分 確保問題

- 이라크, 쿠웨이트로 부터의 輸入中斷으로 인한 不足分은 國內 備蓄 物量(95백만 배럴)으로 1年以上 供給 可能
- 또한 海外油田(북예멘, 이집트等) 開發, 政策 原油(리비아, 멕시코等) 導入, 現物市場에서의 購買等을 통해서도 不足分 確保 可能

10 - 6

0144

2. 武器等 軍需物資 輸出禁止

o 向後 이라크측의 武器等 軍需物資 販賣要請時 不許

- 蘇聯, 中國도 對이라크 武器輸出 禁止

3. 一般商品交易 禁止

가. 交易現況

(我國基準, 千弗)

	89 年		90年 (1-6月)	
	輸 出	輸 入	輸 出	輸 入
이 라 크	67,196	63,958	82,481	123,324
쿠웨이트	210,085	381,733	98,757	355,291

나. 檢討事項

o 交易禁止로 因한 關聯業體의 對政府 補償 要求에 대한 對策

- 旣船積 및 國內銀行 輸出換어음 買入(Nego) 完了되었으나 外國銀行이 代金을 決濟하지 않는 경우
- 旣船積되었으나 國內銀行의 Nego 中斷 경우
- 주문에 의한 生産完了내지 生産中인 경우

o 輸出入銀行 보험부보 部分에 대한 保險金 支給

- 이라크 425件 408억원, 쿠웨이트 2件 89백만원

o 交易禁止로 인한 我國 輸出蹉跌額 및 業界損失額 把握

ㅇ 商工部長官의 外國換銀行長에 대한 輸出入 承認 禁止措置를 通報 함으로써 實效性 있는 交易禁止가 可能하나 同 措置는 事態가 長期化 되는 경우 等에 檢討

- 外國의 경우 通關時 禁止措置를 취하는데 반해 我國은 輸出入면장 (EL/IL) 制度로써 원천적 統制可能

* 對外貿易法 第4條에 의거 商工部長官은 " 貿易相對國에 戰爭 · 사변 또는 천재지변이 있을때 大統領令이 정하는 바에 의하여 物品의 輸出 · 輸入의 制限 또는 禁止에 관한 特別 措置 可能"

* 現行 輸出入 承認制度

- '輸出入公告'上 自由化品目(戰略物資等 一部 除外) : 商工部長官의 承認事項이나 外國換 銀行長에게 위임

- '統合公告'上 品目(防衛産業法等 40여개 個別法) : 主務長官(主要 防産物資 : 國防部長官)이 輸出入許可

ㅇ 旣契約分 輸出 不能 關聯 政府 補償問題는 外國 例를 참조 處理

- 美國의 경우, 資産凍結 또는 交易禁止 措置로 인한 民間業體의 被害 發生에 대해 政府의 補償措置 없음.

4. 建設受注 禁止

가. 現 況

750. — 5月受注

ㅇ 이 라 크 : 7個業體 進出, 13件 시공, 殘額 775백만불

ㅇ 쿠웨이트 : 3個業體 進出, 4件 시공, 殘額 82백만불

) 現代

나. 檢討事項

ㅇ 未收金 回收 ~~不能~~ 問 關聯 事項

- 이 라 크 : 927백만불(기성미수 32백만불, 유보금 125백만불, HD 어음등 770백만불)

- 쿠웨이트 : 65백만불(기성미수 32백만불, 유보금 33백만불)

10 - 8

0146

o 旣進行中인 工事 中斷에 따른 事項

- 豫想 損失額 把握

. - 契約 不履行에 따른 問題

5. 外換去來停止

가. 現 況

o 國內 外國換銀行 이라크, 쿠웨이트 輸出換어음(Nego) 및 外貨手票 買入 中止(8.3)

- 現地事態로 交信 및 船積書類 送達 不可

- 美國의 經濟制裁措置

* 國內銀行들이 이라크 및 쿠웨이트 銀行과 換去來契約을 맺고 있으나, 資金移替는 中間에 美國銀行을 償還銀行으로 삼아 間接方式으로 去來

o 쿠웨이트, 사우디, 바레인, UAE 4個國 通貨 國內換錢 中斷

- 世界 金融市場에서 上記 通貨의 對달러 換率 未形成으로 國內 賣買 基準 換率告示 不能

나. 檢討事項

o 外國換銀行에서 輸出換어음을 旣買入하였으나 現地銀行에서 未入金된 경우, 同 어음의 부도 處理 問題

o 我國 國民이 保有한 上記 아랍국 通貨 處理 問題

6. 國內 이라크 및 쿠웨이트 資産 凍結

가. 現 況

○ 我國內 이라크 資産은 없으며, 쿠웨이트 民間資産은 約 18백만불

나. 檢討事項

○ 凍結 對象이 될 수 있는 이라크·쿠웨이트의 政府資産은 없으므로 凍結問題 別無

○ 未支拂 原油代金 國庫歸屬措置 與否

- 必要時 商品輸出 未收金에 대한 保塡資金으로 活用 可能性 檢討

V. 僑民安全對策

○ 別途資料 參照

VI. 向後 措置 要望事項

○ 各 部處別 細部措置 計劃(現況, 問題點 및 對策 包含)을 作成, 早速 對策班長에 提出

○ 部處別 措置事項은 수시 對策班에 通報 (끝)

예고 : 90.12.31 일반

관리번호	90-488

이라크·쿠웨이트 사태
관계부처 세부대책회의 결과보고

90. 8. 11
통 상 국
통 상 1과

1990.12.31.에 예고문에 의거 일반문서로 재분류됨

1. 회의개요

- o 일 시 : 90.8.11(土) 11:30-13:30
- o 장 소 : 외무부 회의실 (817호)
- o 회의주재 : 대책반장 권병현 본부대사
- o 참 석 자 : 별첨
- o 회의의제 : 경제제재조치 이행 관련 문제점 및 교민안전대책 검토

2. 토의내용

외무차관 사태평가

- o 금번사태는 예측을 못한 사태로서 이라크측이 현재 미국과의 대결방향으로 가고 있음에 비추어 큰 폭의 사태변화 예상
- o 동 지역에서는 아국이 주요국가중의 하나인 바, 서방진영은 물론 이라크측도 아국이 취하는 조치를 주시중
- o 아국으로서는 국제적 제재에의 동참과 아국상사, 교민등의 이익보호간에 균형을 모색하는 것이 중요하며, 과도한 행동은 지양하는 것이 바람직
- o 사태는 장기화될 가능성이 크고, 무력충돌을 가정한 대책논의가 필요한 단계이며, 동 대책 수립 및 이행관련 부처간 긴밀하고도 유기적인 협조체제가 긴요

중동아프리카국장: 대책반장:

공람	통상1과	90년 8월 11일	담 당	과 장	국 장	차관보	차 관	장 관
			최종현			출장중		

국제경제국장:

0149

제재조치의 실질적 효과

o 반장은 국제제재 움직임에의 동참 필요에서 제재조치를 취하기는 하나 원유 도입, 일반 상품교역등이 이미 현실적으로 어렵거나 불가능한 상황임에 비추어, 금번 경제제재 조치는 국내 업계에 대하여 새로이 부담을 지우는 것은 아니며 당분간 여사한 부담을 지우게 하지도 않을 방침임을 설명

원유도입금지

o 동자부는 1,2차 오일쇼크때와는 달리 국내 비축분이 충분한 관계로 이라크·쿠웨이트로부터의 원유도입 중단으로 인한 부족분에 대해 1년이상 커버가 가능함과 아울러 중립지대로부터의 원유도입은 계속 가능함을 설명
  - 외무부에 국내 정유사의 기존 도입선으로 부터의 수입량 증량, 새로운 도입선 확보 활동관련 재외공관의 지원 요청

o 한편 '쿠웨이트 국영석유회사(Kuwait Petroleum Co.)'측이 영국정부의 승인을 받았다면서 기수입분 대금 6,200만불을 런던소재 영국은행에 개설된 구좌에 입금시켜 달라는 요청 관련, 영국정부의 승인내용에 관해 주영 대사관을 통하여 확인키로 하고 동자부는 미결제 원유대금 내역을 대책반에 제출키로 결정

원유等 대금결제

o UN 결의중 이라크 국유재산 동결 관련, 현금등이 이라크 정부수중에 들어가게 해서는 안된다는 점에 의견일치

o 동 관련, 재무부측은 외국 자산동결을 위한 국내 법적근거가 마련되어 있지 않음을 지적

5 - 2

0150

무기등 군사물자 금수문제

o 국방부는 동 물자 수출은 국방부장관 발급 수출허가서 없이는 불가능한 바, 문제가 없다는 입장 표명

o 이에 대해 외무부는 과거에 제3국을 통한 위장수출시도가 있었음을 지적하고 금번사태는 심각한 사태이므로 여사한 수출이 있어서는 안되는 바, 국방부가 각별히 신경 써줄것을 요청

일반상품 교역금지

o 상공부는 수출금지 예외품목으로서 의약품외에 식료품을 추가할 계획임을 설명하고 교역금지 방법으로서 1) 상공부장관이 고시하고 관보에 게재하는 방안 2) 외국환은행에 공문조치하는 방안의 2가지가 있으며, 두방안 모두 즉시 시행 가능함을 설명

o 동 관련, 시행시기 및 방법에 관해서는 좀더 시간을 갖고 외국의 움직임, 업계의 의견등을 고려하여 추후 결정키로 합의

- 상공부는 업무상 관계를 맺고 있는 한국계 미국 변호사에 의하면 미국이 자국의 executive order를 통한 교역금지 시행 관련, 한국은 동 시행을 위해 어떤 형식을 취할 것인지에 관심을 갖고 있다면서 무기한 사태를 관망해서는 곤란하다는 의견 표명

외국환 문제

o 재무부는 외환거래법상 특정국가를 상대로한 외환거래 정지는 불가능하며, 무역관련 원인행위가 있으면 자동적으로 외환을 지불하게 되어 있음을 설명하고 nego 가 완료된 건에 있어 상대방 은행이 결제를 하지 않아 발생하는 문제는 국내은행과 수출업체간의 문제로서 정부로서는 개입 여지가 없다는 입장 표명

o 한편 아랍국 통화 환전 불능관련 일반 국민의 동 통화 보유분은 별로 없을 것으로 생각되며 금융기관 보유분은 사태가 종결되면 거래가 정상화 될 것이므로 큰 문제없다는 입장 표명

건 설

o 건설부는 이라크·쿠웨이트 양국 모두 공사 대부분에 있어 '현대건설'이 시공자인 바, 현대측으로서는 어려운 사정임을 설명

o 동 관련, 현재 진행중인 공사에 대해서는 업계의 자율적 판단에 맡기고 정부로서는 신규수주만을 금지키로 한다는 원칙에 합의

o 한편 건설부는 외무부에 대해 현지 아국 근로자의 철수시 1) 사전에 재외공관을 통해 주재국에 철수의 필요성 설명 2) 출국비자 및 항공기 확보 관련 협조 요청

대업계 보상문제

o 정부의 UN 안보리 경제제재조치 동참 결정과 국내업계가 입게되는 손실과는 무관하다는 점에 의견 일치

5 - 4

0152

3. 결정사항

o 각 부처별로 세부조치 계획(현황, 문제점 및 대책 포함)을 작성, 대책반장에 조속 제출

- 건설 및 교민 안전대책 문제는 내주중에 업계도 참석시켜 별도 대책회의 개최

o 이후 부처별 조치 및 문의사항은 대책반에 수시 통보 (끝)

예고 : 90.12.31.일반

대책회의 참석자 명단

o 회의주재	:	대책반장	권병현	본부대사
o 참 석 자	:	외 무 부	이두복	중동아국장
		"	최대화	국제경제국장
		"	김삼훈	통상국장
		"	허리훈	영사교민국장
		경 기 원	소일석	대조실 국제경제과장
		재 무 부	한택수	외환정책과장
		국 방 부	지창호	방산국장(소장)
		상 공 부	황두연	상역국장
		동 자 부	지재식	석유조정관
		건 설 부	박유철	해외건설과장
		노 동 부	손원식	직업안정국장
		교 통 부	서풍진	운항과장

0154

쿠웨이트, 이라크 교민 안전 대책
관련 부처 회의 결과 보고

1. 일　　시 : 90. 8. 11. (토) 11:00 - 13:30

2. 장　　소 : 외무부 회의실 (817호)

3. 주　　재 : 이라크, 쿠웨이트 사태 대책반장 권병현 대사

4. 주　　제 : 쿠웨이트, 이라크 교민 안전 대책

5. 주요 토의 내용

가. 교민 안전 보호

o 교민 신변보호에 만전을 위한 다각적 방법 강구 필요
  - 외무부, 현지공관에 지시 교민 안전 보호에 최선을 다하도록 기조치

o 교민용 비상식품 지원 필요조치 강구 요망
  - 건설부, 진출업체등과 협의 교민용 비상식품 조달 지원책 강구 필요

0155

나. 비상 철수 문제

o 비상 철수 관련, 전체 교민 철수에 대한 정부의 획일적 결정은 부적절
 - 현지 진출업체는 자체 철수 계획 의거 추진 바람직

o 현지 공관장 판단에 따라, 긴급 철수 실시 적절
 - 상사원 가족등 비필수요원은 철수 방법 및 수단이 있을경우 사전 철수가 바람직
 - 우선적으로 쿠웨이트 교민을 철수, 사태 추이에따라 이라크 교민 철수시기 결정

o 일본등 우방국 철수 계획 파악, 이들 국가와 철수 관련 협력 강구 필요
 - 철수 시기 결정은 여타 우방국 철수 문제 감안, 사태 추이에 따라 결정 바람직

o 이라크 및 쿠웨이트 국경 폐쇄 및 장기 체류자 출국 불허 상황 아래서, 철수 방법 및 수단이 문제
 - 외무부, 현재 철수 가능을 위한 다각적 외교 노력 전개중

o 긴급 철수에 대비, 교통부는KAL 특별기 확보, 투입 준비 필요
 - 교통부, 조치 강구중

o 철수문제 관련, 시기 및 방법등 관련사항은 진출 업체와 협의, 사태 상황 파악후 결정

0156

6. 결정사항

o 교민 비상 대피 및 철수 방안 강구

- 교민 안전 철수 위한 다각적인 외교 교섭 전개

. 이라크 당국, 국제적십자사, 인접국 접촉

- 긴급 철수 대비 대한항공 특별기 투입 준비

o 교민 비상식품등 진출업체와 협의, 조달 강구

7. 조치 예정 사항

o 철수 문제 및 비상식품 지원 관련, 진출업체 참여하 별도 회의

- 건설, 노동, 교통부, 현대, 대림, 효성중공업등

- 철수 시기, 방법등 구체 방안

- 비상식품 조달 방안 협의 예정

첨 부 : 1. 참석자 명단

2. 참고자료

가. 교민 현황

나. 문제점

다. 당부 조치 사항

0157

첨부 1 : 참석자 명단

o 회의주재 :	대책반장	권병현	본부대사
o 참 석 자 :	외 무 부	이두복	중동아국장
	"	최대화	국제경제국장
	"	김삼훈	통상국장
	경 기 원	소일석	대조실 국제경제과장
	[redacted]		
	재 무 부	한택수	외환정책과장
	국 방 부	지창호	방산국장(소장)
	상 공 부	황두연	상역국장
	동 자 부	지재식	석유조정관
	건 설 부	박유철	해외건설과장
	노 동 부	손원식	직업안정국장
	교 통 부	석풍진	운항과장

0158

첨부 2 : 참고자료

가. 교민현황

국명 \ 구분	교 민 현 황
이 라 크	o 현재 총 732명 - 진출업체 근로자 660명 - 주재 상사원 및 가족 26명 - 공관원 및 가족 26명 - 기 타 20명
쿠웨이트	o 현재 총 648명 - 진출업체 근로자 319명 - 주재 상사원 및 가족 38명 - 공관원및가족(KORTA 포함) 39명 - 기 타 252명

※ 교민수 총 : 1,380명

0159

나. 문 제 점

공관명 \ 구분	상 황	현지공관비상철수계획	철수관련 문제점
이 라 크	o 공항 및 국경 폐쇄 o 외국인의 출입국 제한 - 단기사증 입국 외국인은 출국 허용 - 장기체류 외국인에게 출국비자 불허 o 쿠웨이트 체류 아국 교민의 이라크 경유 출국 문제는 신정부 당국과 협의할 사항 (이라크 외무성 ejjam 영사국장 시사) o 공항, 국경을 통한 인접국 철수 불가능 o 2개월분 정도의 비상 식품 비축 o 지금이후 모든 자국의 대 쿠웨이트 송금 중단 o 바그다드 주재 KOTRA는 공관 주도하에 비상 대피중	o 공항, 국경을 통한 인접국으로의 철수는 불가능, 장기 체류자 출국비자 발급 중단으로 비상철수, 사실상 불가능 o 유일한 방법은 특별기 투입, 철수 * 특별기 이용 전제하 철수 기본 원칙 - 단기여행자 긴급 철수 독려 - 장기체류자중 1인 또는 소수인원 주재 업체에 철수 가능 방법 모색 조속 철수 지시 - 장기 체류자의 출국 사증 획득 독려 - 당관 및 진출업체 직원 가족 철수방법 최대 모색	o 공항, 해로 및 국경 폐쇄와 외국인의 출입국 통제로 현재로서 비상 철수 사실상 불가능 o 특별기 이용 투입, 철수만이 유일한 방법이나 주재국 정부 허가 여부가 문제 ※ 주 이라크 대사, 주재국 당국과 협의 예정이라 함

0160

공관명 / 구분	상 황	현지공관비상철수계획	철수관련 문제점
쿠웨이트	o 쿠웨이트에서의 일체 출국 금지 o 4명의 공관 직원 제외 공관원 및 가족 전원 철수 예정 o 바그다드로의 이동문제 판단 곤란 o 2주일 정도의 비상식품 비축(현대건설 재외) o 8.3.이래 50여명 대피 인원 공관 피난 및 사태 여하에 따라 200명 정도 대피 예상 o 교민 긴급 소집 준비 완료	o 철수 방안 검토 - 쿠웨이트에서 출국, 일단 이라크로 이동, 이라크 출국 - 육로로 사우디 주변으로 출국 - 해상 피난등 o 철수시까지 대피 예정	o 쿠웨이트에서의 일체 출국 금지 o 육로로 이라크, 사우디 경유 출국 및 해상 피난 방법이 있으나, 교통수단 해결 난망 및 이라크 정부 허가 여부가 문제

0161

다. 당부 조치 사항

o 주 이라크, 쿠웨이트 대사관에 아국 교민 안전 대책 강구 및 긴급 철수 계획 수립 지시 및 사태 진전 사항보고 지시 (8.1)

o 외무부 비상 근무조 편성(8.2)

- 국장 감독하에 서기관1, 사무관1, 행정보조1, 24시간 비상근무 체제

o 주요 국가 반응 및 사태 파악 지시 (주요공관) (8.2)

o 현지공관 조치사항 (8.2)

〈주 쿠웨이트〉

- 쿠웨이트 건설현장 인원 캠프로 철수
- 비상연락망 유지, 비상시 철수 계획 점검

〈주 이라크〉

- 진출업체 공사 현장 안전 대책 강구
- 만일의 사태 대비, 대피 및 사태 상응 행동 사전 강구 수립

o 주 이라크 대사관에 요르단 경유 교민 철수 가능성 확인 보고 지시 (8.7)

o 주 제네바 대사에게 국제적십자사 접촉코 교민 보호 및 철수 문제 협조 요청 (8.7)

o 교민 철수 문제 공관장 재량하에 철수 결정 지시 (8.7)

o 주 리비아등 8개 아국 공관에 주재국 이라크 대사와 접촉, 이라크, 쿠웨이트 거주 아국 교민 안전 확보 교섭 지시 (8.8)

0162

o 이라크, 쿠웨이트 인접국 공관에 아국 교민 철수 대책 필요사항 준비 지시 (주 바레인, UAE, 터어키, 이란, 요르단 대사) (8.8)

o 주요공관에 주재국의 자국 교민 보호 및 철수 대책 파악 및 협조 가능성 여부 타진 보고 지시 (8.8)

o 사우디 동북부 지역 거주 비필수 교민의 조속 철수 권유 (주 사우디 대사, 8.8)

o 교민 철수 관련, 특별기 운항에 대해 이라크 정부에 협조 요청 지시 (주 이라크 대사, 8.9)

o 이라크, 쿠웨이트 사태 상황 대책반 설치 (8.10)

o 교민 국내 가족의 연락 관계에 대해 신속 통보

o 주 쿠웨이트 및 이라크 대사관에 교민 안전에 최우선토록 지시(8.11)

o 교민 철수 추진 지시 (주 이라크, 쿠웨이트 대사) (8.11)
  - 이라크 당국의 요르단 경유 교민 철수 동의 의거

0163

쿠웨이트 사태 관련 각국의 군사조치 현황

90. 8. 11.

미주국 북미과

1. 미 국

가. 해군 배치 상황(약50척 배치)

o 페르샤만 : 전함 9척

- Lasalle 전함, 순양함 2척, 구축함, 프리킷 5척

o 지중해 : 전함 5척 및 보조선 2척

o 홍 해 : 항모 Eisenhower호 걸프로 항진중

- 구축함 2척 등 전함 5척이 호위

o 인도양 : 항모 Independence 호 호르무즈 해협 진입설

- 호위 전함 6척

o 대서양 : 항모 Saratoga호 지중해로 항진중

- 다음 주말경 도착 예정

- Wisconsin호 등 전함 9척이 호위

(Tomahawk 크루즈 미사일 32개, 상륙정 5척 등 장비)

o 기 타 : 보급선 수척과 병원선 2척 걸프로 항진중

나. 사우디 파병 내역

o 총 파병 병력수 미상(현재 12,000명 이상 도착)

o 조만간 총파병 병력수가 5만명에 달할 것이며, 20-25만명까지 증파할 수 있는 비상 계획도 있음.(미 국방부 소식통)

0164

○ 파병 내역

- 101 공정사단(켄터키) 중 일부

  · 공격용, 대전차 헬리콥터 등 장비

- 24 기계화 보병사단(조지아) 중 일부

  · 탱크, 전차, 155mm포, 연발 로켓트포 등 장비

- 82 공정사단(노스 캐롤라이나) 중 일부

  · TOW 대전차 미사일 등 장비

- F-15 전투기(버지니아) 48대 이상

- F-16 공격용 전투기 및 A-10 공격용 전투기(사우드 캐롤라이나)

- 기타 C-130 수송기 등

○ 병력 수송을 위해 Eastern Airlines 등 민간 항공사 접촉 중

2. NATO 국가

가. 영 국

○ Tornado F-3 전투기 12대 사우디 파견

○ Jaguar 공격용 전투기 12대 오만(?) 파견

○ 전투기 호위 SAM 미사일, 해양 경비 항공기 파견

○ 구축함 1척, 프리깃 2척, 지원선박 걸프로 파견

- NIMROD(조기경보기), 유조선 등이 지원

○ 소해정 3척 동지중해로 항진중

○ 지원 병력 1,000명(지상군 없음)

나. 프랑스

○ 항모 Clemenceau 파견 예정

- 순양함 등 6척이 호위

○ 지원 병력 3,200명

○ 다국적군에는 불참하나, 필요시 걸프국가에 물자.기술 지원 예정

0165

다. 터 키

- F-16, 병력, Rapier 대공 미사일 등 전진 배치
  - 다국적군은 아님

라. 기타 NATO 국가

- 이태리 : 미 공군의 영공 통과 허용. 수일내 다국적군 참가 여부 결정
- 카나다 : 함정 3척 파견
- 서 독 : 소해정 4-5척 동지중해 파견 예정
- 덴마크 : 여타국의 걸프 파병으로 인한 NATO 지역 방위 부담 인수.
  상업선박이 다국적군의 보급선으로 사용되는 것 허가
- 그리스, 스페인, 포르투갈 : 미군에 기지 제공
- 화란, 벨지움 : 수일내 다국적군 참가 여부 결정

3. 기타 국가

가. 쏘련

- 전함 1척, 대잠함 1척 걸프 파견
  - 다국적군에는 불참
- UN에 의한 군사 행동이 결정될 경우 참여 고려(8.9. 외무부 성명)

나. 호주

- 프리깃 2척, 유조선 1척 파견

다. 이스라엘

- 이라크군이 요르단 진입하면 이라크 공격(8.7 국방장관 발표)

4. 해상 봉쇄 문제

- Fitzwater 백악관 대변인 기자 회견(8.10)
  - 해상 봉쇄를 거론하기에는 이르지만, 필요시에 대비한 계획은 수립 되고 있음.

0166

o Baker 국무장관 기자회견(8.10. 브럿셀)

- 미국 및 여타국가는 쿠웨이트 왕정의 요청만 있으면, 유엔안보리의 경제 제재 결의 시행을 위해 봉쇄를 실시할 법적 권한이 있음.
- 일부 주요국가가 미국의 이러한 견해에 동의하고 있음.

5. 아랍 연합군 구성 문제

o 8.10. 카이로에서 아랍 정상회담 개최

- Mubarak 이집트 대통령, 아랍 연합군의 사우디 파병 촉구

o 대다수 정상들, 파병에 동의

- 찬성한 국가들은 미확인

6. 화학무기 사용문제

o 이라크는 미국이 이라크를 공격할 경우 독가스 사용 경고(주그리스 이라크 대사)

o 미측은 화학전에 대비하고 있다고 발표하고 있으나, 전문가는 이에 대해 회의적(폭엽)

o 이락이 화학무기를 사용할 경우 미국은 핵무기 사용 등 대량 보복책 고려(8.9 ABC-TV 보도)

0167

外務統一委員會 懇談會

90.8.11 (行政)

ㅇ 日　時 : 8.14(火) 10:00

ㅇ 場　所 : 國會 外務統一委員會 小會議室

ㅇ 主　題

- 中東事態
- 韓.蘇關係

ㅇ 參席者

- 國會 : 外務統一委員
- 外務部 : 長官, 企劃管理室長, 歐洲局長,
  中東아프리카局長

ㅇ 午餐 豫定

(자는만 해주면 되는데)

0168

공　　　란

공　　란

공 

공　　란

공 란

※ 국회 외통위 보고 자료 (8.13. 행정예 중)

2. 我國의 對이라크 經濟制裁措置 및 對策

가. 背 景

o 유엔安保理 決議(8.6) 尊重

- 我國은 유엔헌장 遵守 및 유엔의 諸決議 尊重 立場을 一貫되게 堅持

· 66.3. 對로디지아 制裁 同參等

- 同 決議는 非會員國에 대해서도 制裁 參與를 明示的으로 要請

· UN 事務總長, 8.8 外務長官에게 我國의 同參 要請

o 全世界的으로 制裁 雰圍氣 形成

나. 我國의 決定(8.9 國務總理主宰 關係部處長官 會議)

o UN 安保理 決議를 尊重, 對이라크 經濟制裁措置 實施

- 이라크 및 쿠웨이트로부터의 原油 輸入禁止

- 商品(醫藥品等 人道的 物品은 除外)交易禁止 및 武器等 軍需物資 輸出禁止

- 新規建設受注 禁止

* 各國內 이라크·쿠웨이트 資産 凍結關聯, 我國의 경우에는 同 資産이 없음을 確認

o 現地 勤勞者等 滯留 我國民에 대해 可能한 安全措置 講究

o 經濟制裁措置 履行 및 現地 我國民의 安全對策 關聯 對策班 設置

다. 對策班 會議召集

o 8.11 對策班長 主宰 關係部處 會議開催

- 對이라크 經濟制裁 履行關聯 行政節次等 細部事項 및 問題點 檢討

- 現地僑民 安全對策 檢討

0174

o 8.14 建設關係 對策會議(對策班長 主宰) 開催 豫定

- 外務部, 財務部, 建設部, 勞動部, 交通部等 關係官 및 現地進出 建設業體 關係者 參席 豫定
- 建設關係 및 建設業體 勤勞者 安全對策等 討議 豫定

라. 分野別 對策

原油導入禁止

1) 原油導入現況

(90년 상반기중)

國 名	導入量(千B/D)	全體導入量中 比重
이 라 크	39	4.2%
쿠웨이트	70	7.6%
計	109	11.8%

※ 國內 1日 平均 消費量 787千 B/D ('89)

2) 決定時 考慮事項

o 現實的으로 이라크 및 쿠웨이트 原油導入이 不可能한 狀況에서 原油導入先 早期 轉換이 바람직
  - 美國의 해상봉쇄時, 同 地域産 原油輸入 위한 유조선 出入不可
  - 터어키 및 사우디, 自國通過 이라크 송유관 旣폐쇄
  - 保險會社들이 同 地域 出入船舶에 대한 戰爭보험부보 加入 拒否

o 同 事態 長期化 展望으로 安定的 供給先 確保 必要

0175

3) 我國에의 影響

o 1,2次 오일쇼크때와는 달리 이라크, 쿠웨이트로 부터의 原油導入 中斷에 따른 不足分(이라크 20千, 쿠웨이트 55千 B/D 長期導入 契約) 確保에 問題點 別無

- 國內 備蓄物量으로 不足分 1年以上 供給 可能
  · 政府 備蓄 : 40백만 배럴
  · 精油社 在庫 : 35백만 배럴
  · 現在 輸送中 物量 : 20백만 배럴

- 海外油田 開發, 政策原油 早期 導入, 現物市場에서의 購買等을 통해서도 不足分 確保 可能
  · 海外油田 開發 : 24,500 B/D(북예멘 마리브 : 21,500 B/D, 이집트 칼다 : 3,000 B/D)
  · 政策原油 早期導入 推進 : 25,000 B/D(리비아 15,000 B/D, 멕시코 10,000 B/D)
  · 나머지 不足分 25,500 B/D 는 現物市場에서 購入

o 今番事態로 國際油價가 引上되더라도 石油事業基金 및 關稅率 調整 等을 통해 年內 國內 油價 引上없이 對處 可能

- 石油事業基金 : 1조 6천억원
- 現在 關稅率 : 10%

0176

※ 國際 原油 收給 動向

- 이라크 및 쿠웨이트의 原油供給量은 約 450만 B/D 로 自由世界 總供給量의 約 10% 水準이며, 餘他 產油國의 生產 增量으로 約 350만 B/D 追加 供給 可能
  · 사우디 200만, 베네수엘라 60만, UAE 4-50만, 나이지리아 2-30만等

- 不足分 1백만 B/D 은 國際 現物市場 備蓄量(1.8억 B/D) 使用, 天然가스등 代替에너지 使用等으로 對處 可能

- 西方 先進國 政府의 비축량도 充分
  · 美國 5.9억 배럴, 日本 2.1억 배럴, EC 1.3억 배럴

- 事態直後 급등하였던 現物市場 油價는 同 事態가 石油非需期內 (向後 3個月 以內) 終了時는 安定될 것으로 豫想

- Brent 油 배럴당 가격 : $22.20(8.2) → $22.75(8.3) → $29.40(8.7) → $25.85(8.8) → $25.7(8.10)

- 두바이油 배럴당 가격 : $18.27(8.1) → $19.45(8.2) → $19.80(8.3) → $23.70(8.6) → $25.40(8.7) → $22.00(8.8) →$22.72(8.10)

建設 新規受注 禁止

1) 現 況

o 施工殘額은 이라크 775백만불, 쿠웨이트 82백만불

o 施工 殘額上 '현대건설'이 98% 차지

0177

※ 進出現況

(이 라 크)

(백만불)

區 分	工 事 名	契約金額	施工殘額	人力(명)	裝備(대)
현 대	701 수리조선소	754	754	177	-
	키르쿡 상수도	103	1.3	95	85
삼 성	바그다드 - 아브 그레이브 도로	204	18	64	285
정 우	이라크철도 공사	101	0.7	11	31
	제4비료공장	46	1.5	14	42
기 타	—	-	-	266	873
합 계		1,208	775.5	627	1,316

* 701 수리 造船所 工事는 當今 未着工

(쿠웨이트)

(백만불)

區 分	工 事 名	契約金額	施工殘額	人力(명)	裝備(대)
현 대	수비야 송전선	86	7.8	73	125
	제1순환도로	34	8.3	52	86
	미르칼진입로	46	24.3	94	166
	예가일라 저수조	45	41.5	62	57
	기 타	-	-	29	38
기 타	—	-	-	2	-
합 계		211	81.9	312	472

0178

2) 考慮事項

o 新規受注는 事實上 中斷

o 現在 進行中인 工事는 당분간 事態를 觀望할 수 밖에 없는 狀況

3) 對 策

o 現在 進行中인 工事는 事態進展에 따라 융통성있게 對處

o 事態惡化로 철수시는 工事 再開에 대비, 발주처 감독과 協議, 同 철수가 불가항력에 따른 措置임을 正式 文書化 措置

- 殘留 必須 要員은 발주처 당국과 繼續 接觸, 關係 維持

一般商品 交易禁止

1) 現 況

(아국기준, 천불)

年度 / 國別	89年		90年(1-6月)	
	輸 出	輸 入	輸 出	輸 入
이 라 크	67,196	63,958	82,481	123,324
쿠웨이트	210,085	381,733	98,757	355,291

2) 考慮事項

o 輸送手段 不在等으로 인해 一般商品 交易은 政府의 交易禁止 決定前에도 現實的으로 不可能했던 狀況

o 交信(쿠웨이트의 경우), 船積書類 送付 및 信用狀 開設 不可等으로 國內 外國換銀行의 輸出換어음 買入 中斷

0179

3) 對 策

o 總理主宰 長官會議時 決定된 一般商品 交易禁止는 現實을 考慮한 宣言的 措置

o 具體的인 法令上 禁止措置는 時間을 갖고 外國의 움직임, 業界 意見 등을 考慮하여 追後 決定

※ 美國의 境遇, 資産凍結 또는 交易禁止措置로 인한 民間業體의 被害 發生에 대한 政府의 補償責任 없음.

武器等 軍需物資 輸出禁止

1) 現 況

o 對이라크 武器等 軍需物資 輸出 實積 無

2) 對 策

o 이라크側의 武器等 物資 販賣 要請時, 同 輸出 不許

- 蘇聯, 中國도 對이라크 武器輸出禁止

資産凍結

1) 現 況

o 我國內 이라크 資産은 없으며, 쿠웨이트의 境遇, 民間資産만 約 18백만불로 資産凍結 關聯 해당事項 無

2) 對 策

o 美國等 西方의 이라크·쿠웨이트 政府 資産凍結 要請에 대해서는 同 資産이 韓國內에는 없음을 說明

0180

主 要 懸 案 報 告

1990. 8. 13

外　　務　　部

0181

- 目　　次 -

0182

1. 이라크. 쿠웨이트 事態

가. 狀 況

ㅇ 이라크, 쿠웨이트 合併 發表(8.8)

- 이라크가 主張하는 合併根據

. 16世紀 以前부터 쿠웨이트는 이라크 領土

. 英國이 強要한 國境線 條約으로 外勢에 의한 分割(1922)

. 쿠웨이트 臨時政府의 合併要請

- 이라크, 쿠웨이트 外國公館 8.24까지 폐쇄 通報

. 駐쿠웨이트 外國公館 65個

. 現在까지 公館 폐쇄 決定國 全無

- 유엔 安保理 合併 無效決議(662호)

ㅇ 美 主導下 多國籍軍, 사우디 및 걸프周邊 配置, 海上 봉쇄 準備(8.11)

ㅇ 이라크, 包括的 中東平和案 提示(8.12)

- 美國의 걸프만 卽刻撤收 및 制裁措置 解除, 이스라엘 및 시리아의 占領地 撤收

- 상기 條件 充足時 이라크軍도 쿠웨이트 撤收

0183

나. 主要國 反應 및 制裁 措置

o 아랍 項上會談 開催(8.10)

- 아랍 聯合軍 派遣 決議

- 이라크의 쿠웨이트 侵攻 非難 決議案 採擇
  . 20個國中 12個國 贊成

o NATO 外相 會談(8.10)

- 이라크, 터어키 攻擊時 軍事 介入 決議

- 이라크 制裁위한 會員國 個別的으로 多國籍軍 參與 與否 決定키로 合意

o 蘇聯: 武力 介入은 反對하나 安保理 決議에 따른 多國籍軍 參與 用意 表明

o 카나다, 濠洲, 佛蘭西, 西獨等: 對이라크 制裁 위한 多國籍軍 參與 決定

o 日本: 多國籍軍 財政 支援 檢討 示唆

o 制裁措置의 主目的

- 國際法 違反 行爲 응징

- 사우디 油田의 保護

- 후세인 이라크 大統領 牽制 또는 失脚 誘導

0184

다. 展 望

1) 軍 事

o 이라크, 防禦 態勢로 轉換

- 사우디 國境, 쿠웨이트 海岸, 터어키 國境에 兵力 集中 投入

- 防禦 陣地 構築 및 對空砲 配置

o 美國, 시리아 및 이란의 軍事 演習 誘導 等으로 이라크軍 後退 壓力

o 軍事 情勢 교착으로 事態 長期化 與否 不透明

- 부쉬 大統領은 26日間의 休暇 始作

2) 政治 經濟

o 이라크는 쿠웨이트 合併을 既定 事實化 하는데 總力 傾注

- 美軍 駐屯 非難으로 아랍圈의 反美感情 煽動

o 사우디, 터어키 送油管 및 걸프 出口 봉쇄등 이라크의 經濟 枯死 作戰

o 아랍圈을 主軸으로 妥協 摸索이 繼續될 展望

- 아랍 聯合軍 實現 경우, 후세인 立地 弱化

o 후세인 大統領 牽制에는 이집트, 시리아, 이란이 利害 一致

0185

라. 僑民現況

o 僑民數: 1,300名線
- 이라크 : 700名
- 쿠웨이트: 600名

o 被害: 없음

- 抑留 勤勞者 3名 釋放(8.10)

- 僑民은 公館 및 캠프에 安全 待避中

- 非常連絡, 集結 態勢 完備

- 電氣, 食水, 食料品等 큰 차질 없음

마. 我國의 對應 措置

1) 政府 公式 立場 發表(8.2)

o 유엔 安保理 決議 支持

- 事態 憂慮 表明

- 紛爭의 平和的 解決 希望

- 이라크軍 撤收 促求

0186

2) 制裁 措置(8.9, 總理 主宰 關係部處 長官 會議)

o 유엔 安保理 決議를 尊重, 經濟 制裁 措置

- 이라크 및 쿠웨이트로 부터의 原油 輸入 禁止
  . 現實的으로 輸入 不可能 狀態
  . 現 導入 比率: 이라크 4.2%,
    쿠웨이트 7.6%

- 武器, 軍需物資, 商品 交易 禁止(但, 醫藥品等 人道的 物品 除外)

- 이라크 및 쿠웨이트 國內 資產 凍結
  . 國內 資產 全無

- 建設工事 新規 受注 禁止
  . 既 受注 保有額:
    이라크 64億4千萬弗(未收金 9億4千萬弗),
    쿠웨이트 29億5千萬弗(未收金 6千5百萬弗)

3) 對策班 設置(8.10)

o 關係部處 實務會議(8.11)

o 僑民 身邊 保護, 非常 待避 및 撤收 計劃 樹立

- 僑民 安全 撤收 위한 多角的인 外交 交涉 展開
  . 이라크 當局, 國際赤十字社, 隣接國 接觸

- 緊急 撤收 對備, 大韓航空 特別機 投入 準備

0187

바. 基本 對處 方向

o 國際紛爭의 武力 解決 排擊

- 對話와 協商을 통한 解決 基本方針 尊重
- 弱小國의 強大國에 의한 侵略 不容

o 유엔에 의한 國際紛爭 調整役割 支持

- 유엔軍에 의한 6.25 南侵 擊退 想起
- 確固한 立場 表明으로 北韓의 誤判 저지
- 유엔 決議에 따른 同調方案 檢討

o 我國 進出人員 및 經濟利益 保護措置 講究

- 僑民 非常食品等 業體와 協議, 調達 講究
- 進出人員 撤收 時期, 方法等 具體 方案 樹立
- 輸出 및 建設 受注, 未收金 問題等 經濟制裁 措置와 關聯한 後續 措置

0188

2. 統独過程 研究体制 強化方案

가. 目 的

- 統獨過程을 研究, 分析하여 南北交流 및 南北統一에 活用키 위하여 統獨關聯 研究를 計劃的. 體系的으로 推進 必要
  - 모든 部處, 모든 研究機關 等이 參與하여 綜合的으로 專門性 發揮 必要
  - 計劃的, 體系的으로 推進하기 위한 綜合的인 擔當部署 設置, 運營

나. 駐獨大使館 業務體制 強化

- 統獨過程 研究 中心으로 公館體制 改編
  - 綜合企劃室, 政務部, 經濟部, 社會. 領事部, 文公. 教育部, 軍事部, 總務部, 特殊事業 對策委員會
  - 本國 派遣 職員(長短期) 支援 및 有機的 協調 維持

0189

o 獨逸 內獨省, 外務省 및 國策硏究機關인 全獨問題 硏究所와 具體的 業務協調 體制 構築

- 內獨省의 資料 및 事務室 提供 等 最大限 支援 確保
  . 統一院 駐在官, 內獨省 事務室에 派遣勤務

- 全獨問題 硏究所는 資料 142卷 및 統合過程 各分野 2,579卷 資料目錄 提供 約束

다. 外務部內 專擔班(Task force) 設置

o 統獨過程 硏究의 總括. 調整 및 硏究. 分析

o 公館 提供 資料의 接受. 整理, 配布의 體系化

- 駐獨大使館 蒐集資料 60件, 統一院, 經企院, 商工部 等 關係部處에 旣 配布

o 組織

- 班長(大使級)

- 政治. 外交. 軍事, 經濟 및 社會. 文化의 3個班으로 構成

- 幹事 및 諮問委員(專門家) 指定

0190

라. 部處間 協議 調整 機構 新設

o 關聯部處間 有機的 業務 綜合調整

- 統獨關聯 硏究分野 等 協議, 綜合

- 關聯部處와 大使館間 원활한 業務協調

o 組織案

- 班長(大使級)

- 政治. 外交. 國防, 經濟 및 社會. 文化 3個 分野로 區分, 關聯部處 局長級으로 構成

0191

3. 日皇 即位式 慶祝使節 問題

가. 即位式 日時

o 1990.11.12(月)

나. 各國別 慶祝使節 參席 通報 現況

o 總 116個國 參席 通報(8.12 現在)

- 國家元首級: 59, 王族: 15, 副統領: 9,
  首相: 12, 閣僚級: 21

- 美國: 퀘일副統領, 英國: 皇太子夫婦,
  西獨: 大統領夫婦

o 中國, 蘇聯, 카나다, 프랑스等은 尙今 未確定

* (參考) 昭和 日皇 葬禮式 弔問使節(89.2.25)

o 美國: 부쉬大統領, 中國: 外交部長, 蘇聯: 最高會議 幹部會議 第1副議長, 프랑스: 大統領等 總16個國 참석

o 葬禮式 使節은 即位式 보다 上位級으로 派遣함이 常例

0192

다. 大統領閣下의 參席問題

ㅇ 日側 反應(駐日大使 報告)

- 內心 大統領 參席 希望
  . 直接的인 公式 參席 要請은 없었으며, 7.31 韓.日 外相 面談時에도 日側은 이를 不提起

- 다만, 5月 訪日後 再訪日은 어려울 것으로 理解

ㅇ 肯定的 側面

- 大統領 訪日을 契機로 마련된 새 時代를 向한 韓.日關係의 基盤 공고화

- 大統領 訪日 後續措置의 成果 提高

ㅇ 問題点

- 日政府의 완벽한 儀典.警護 期待 困難
  . 多數國 元首가 同時 參席

- 大統領의 即位式 參席에 따른 國內 與論 配慮

- 美國等 主要國 元首 不參
  . 大統領 參席은 주로 中南美, 아프리카 및 아시아의 一部國家
  . 西方 先進國은 주로 副統領級 派遣
  . 日政府, 最近 一部言論의 韓.中 頂上會談 實現 可能性 否認

0193

라. 建 議

ㅇ 國務總理를 慶祝使節로 派遣

- 우리 國民感情과 韓. 日 友好關係等을 考慮할때, 昭和 日皇 葬禮式의 前例에 準함이 無難할 것으로 思料

- 駐日大使도 上記 問題点 包含, 大統領 參席問題는 우리 國內事情을 勘案하여 決定할 事項이라는 趣旨 報告

0194

4. 兒童을 위한 世界頂上会議

가. 開催日時

ㅇ 90.9.29(土)-9.30(日)

나. 開催背景

ㅇ 유엔 次元에서 兒童의 生存. 保護. 發展을 위하여 最高指導層의 關心 및 支援 確保

ㅇ 90.2月 유엔事務總長 名義로 모든 國家의 頂上에게 招請狀 發送

- 國內日程上 參席 不可能함을 內容으로 하는 7.20字 大統領 親書 旣傳達

다. 各國 頂上의 參席 通報現況(8.8 現在)

ㅇ 現在 美國. 日本. 英國. 카나다. 멕시코. 馬聯等 60餘個國

- 蘇聯 "고" 大統領도 參席 可能視

0195

라. 參席問題 關聯 考慮事項

- 國內外的 考慮에서 兒童問題에 대한 我國의 關心 表明 必要性
  - 我國은 現在 UNICEF 執行理事國
- 國務總理에 대해서 頂上에 準하는 禮遇 考慮
- 外務長官 參席時 制限的 會議 參觀 可能(公式行事 招請 不透明)
- 北韓은 尙今 參席與否를 通報치 않고 있음
- 同 頂上會議는 日程上 行事 中心 進行 豫定임으로 發言은 어려울 것임

마. 建 議

- 北韓 總理의 參席 可能性에도 對備, 關聯 動向을 注視하면서 國務總理 參席問題 愼重 檢討

0196

경제제재 part
경경국 행정에 준

국회 외무 통일 위원회 답변자료

1990. 8. 14

외 무 부

(초안)

0197

목 차

0198

1. 이라크, 쿠웨이트 사태

가. 현 황

ㅇ 이라크는 국내 경제 피폐, 후세인의 중신 대통령제에 대한 국민의 불만 해소책의 일환으로 90.8.2. 새벽 2시 쿠웨이트를 무력 침공

ㅇ 이라크의 당초 계획은 쿠웨이트내 괴뢰 정부를 수립, 군대를 철수 코자 하였으나 쿠웨이트인들의 거부로 임시 정부 수립이 여의치 않아 일방적 합병 결정(8.8)
- 국제적 경제, 군사 압력 거부

ㅇ 미 지상군, 사우디 배치 및 다국적군 걸프 주변 집결, 이라크군과 대치 상태
- 이라크, 공격 받을 경우 화학 무기 사용 경고

ㅇ 다국적군, 이라크 해상 봉쇄 준비(8.11)

나. 주요국 반응 및 제재 조치

ㅇ 유엔 안보리 결의(660, 661, 662호)
- 이라크군의 즉각 철수, 경제 제재, 합병 무효

ㅇ 미, 소, 중, EC 제국등 전세계적으로 대이라크 제재에 동참
- 소련은 무력 개입 반대, 다국적군 또는 해상 봉쇄 동참 거부
- 영, 불, 카나다, 호주, 서독, 스페인등 다국적군 참여
- 일본 : 다국적군 재정 지원 검토 시사

ㅇ NATO 외상 회담(8.10)
- 이라크, 터어키 공격시 군사 개입 결의
- 이라크 제재 위한 회원국 개별적으로 다국적군 참여 여부 결정키로 합의

0199

o 아랍 정상 회담(8.10)

- 아랍 연합군 파견 결의
  - · 이집트, 모로코 다국적군에 파병
- 이라크군 철수, 사바국왕 복귀, 다국적군 사우디 주둔 지지 결의 (20개국중 12개국 찬성)

o 아국은 8.2. 유엔 안보리 결의 지지, 동 사태에 대하여 우려를 표명하고 분쟁의 평화적 해결 희망, 이라크군의 철수를 촉구하는 내용으로 정부의 공식 입장을 발표

다. 분석 및 전망

1) 군 사

o 이라크, 방어 태세로 전환
- 사우디 국경, 쿠웨이트 해안, 터어키 국경에 병력 집중 투입
- 방어 진지 구축 및 지대공 미사일 배치

o 미국, 시리아 및 이란의 군사 개입 유도등으로 대이라크 압력 시도

o 군사 정세 고착으로 사태 장기화 조짐
- 부쉬 대통령, 26일간의 휴가 시작

2) 정치 경제

o 이라크는 쿠웨이트 합병을 기정 사실화하는데 총력 경주
- 미군 주둔 비난으로 아랍권의 반미 감정 선동

o 사우디, 터어키 송유관 및 걸프 출구 봉쇄등 이라크의 경제 고사 작전

o 아랍권을 주축으로 타협 모색이 계속될 전망
- 아랍 연합군 실현 경우, 후세인 지위 약화

o 후세인 대통령 견제를 위한 이집트, 시리아, 이란이 이해 일치

0200

2. 아국의 대이라크 경제 제재 조치 및 대책

가. ~~경 위~~

- o 유엔 안보리, 대이라크 경제 제재 조치 결의(8.6)
  - 대이라크 모든 상품 수출입금지, 신규 투자 금지, 금융 자산 유입 금지등
  - 유엔 사무총장, 아국에게 동참 요청(8.8)
- o ~~미 솔로몬 차관보, 아국에 경제 제재 동참 요청~~(8.8)
- o 전 세계적으로 제재 분위기 형성
- o 총리 주재 관계 부처 회의 개최, 경제 제재 조치 결정(8.9)

나. 아국의 결정 ~~내용~~

- o 이라크 및 쿠웨이트 자산 동결
- o 이라크 및 쿠웨이트로부터 원유 수입 금지
- o 신규 건설 수주 금지
- o 무기, 군수물자, 상품(의약품등 인도적 물품 제외)등 수출 금지

다. 대 책

1) 원유 도입 금지

- o 원유 도입 현황

국 명	도입량(천B/D)	전체도입량중 비중
이 라 크	39	4.2%
쿠웨이트	70	7.6%
~~(중립지대)~~	~~(37)~~	~~(4.0%)~~
(~~중립지대 포함~~)	109(~~146~~)	11.8%(~~15.8%~~)

0201

o 문제점

- 기도입 원유에 대한 결제 문제
  · 사태 발생전 선적되어 현재 아국으로 운송중인 원유의 처리 문제
  · 이라크, 쿠웨이트와 체결한 장기 도입 계약 불이행과 관련한 문제(이라크 2만, 쿠웨이트 5.5만 B/D)

o 대 책

- 수입 중단으로 인한 부족분은 국내 비축 물량(약 4천만 배럴, 민간 부분 제외)으로 50일 이상 공급 가능(89년말 내수 기준)
- 해외 유전(북예멘, 이집트등) 개발, 정책 원유(리비아, 멕시코등) 도입, 현물 시장에서의 구매
- 기타 도입선(이란등) 확보 고섭
  ※ 이란 석유장관 양국간의 우호 관계를 고려 원유 공급에 협조 의사 표시
- 주요 산유국 주재 공관에 원유 시장 동향 파악 지시 대책 수립 준비

2) 건설 수주 금지

o 현 황

- 이라크

※	진출업체	:	7개사(현대,삼성,정우,한양,대림,남광,동아)
	총수주액	:	71건 64억 4천만불
	시 공 액	:	5건 12억 8백만불
	시공잔액	:	7억 7천 6백만불
	미 수 금	:	9억 2천 7백만불(기성미수 3천2백만불, 유보금 1억2천5백만불, 어음 6억2백만불, 원유 1억6천8백만불)

0202

- 쿠웨이트

※ 진출업체 : 3개사(현대, 대림, 효성)

총수주액 : 128건 29억 5천 5백만불

시 공 액 : 4건 2억 1천 1백만불

시공잔액 : 8천 2백만불

미 수 금 : 6천 5백만불(기성미수 3천2백만불, 유보금 3천 3백만불)

o 문 제 점

- 아국의 경제 제재 조치 참가 여부와는 관계없이 사태 발발로 공사 수행과 미수금 수령에 있어 문제가 있음.
- 진행중인 공사 중단에 따른 손해와 계약 불이행에 따른 문제가 발생함.

o 대 책

- 철수시 공사 재개에 대비 발주처 감독과 협의, 불가항력의 사정임을 정식 문서(letter)로 남기도록 함.
- 잔류 필수 요원은 발주처 당국과 계속 접촉코 관계 유지

3) 일반 상품 교역 금지

o 교 역

(아국 기준, 천불)

년도 / 국별	89년		90년(1-6월)	
	수 출	수 입	수 출	수 입
이 라 크	67,196	63,958	82,481	123,324
쿠웨이트	210,085	381,733	98,757	355,291

0203

ㅇ 문 제 점

- 교역 금지로 인한 관련 업체의 대정부 보상 요구
  - 상품을 선적하였으나 외국 은행이 대금 결제를 거부시
  - 상품이 선적되었으나 국내 은행의 Nego 중단의 경우
  - 주문품에 대한 생산 중단 경우
- 수출입 은행 보험부보 부분에 대한 보험금 지급
- 교역 금지로 인한 아국 수출 차질 및 법적 손실액 파악 및 지원 문제

ㅇ 대 책

- 시간을 갖고 상세 현황을 파악 대책 수립
- 기계약분 수출 불능 관련 정부 보상 문제는 외국 예를 참조 처리

4) 국내 이라크 및 쿠웨이트 자산 동결

ㅇ 현 황

- 이 라 크 - 아국내 자산 없음
- 쿠웨이트 - 민간 자산 약 18백만불

ㅇ 문 제 점

- 이라크 및 쿠웨이트의 정부 재산이 없으므로 문제점 별무
- 미지불 원유 대금의 국고 귀속 조치 여부

0204

참고 자료(각국 제재 현황)

1. 미 국(8.2)

o 미국내 모든 이라크 및 쿠웨이트 자산 동결
o 대이라크 및 쿠웨이트 교역 금지
o 사우디, 터어키에 동국 통과 이라크 송유관 폐쇄 요청
※ 이라크 및 쿠웨이트 체류 미국인 4,000명

2. E C(8.4)

o 대이라크 및 쿠웨이트 원유 수입 금지
o 회원국내 이라크 자산 동결
o 대이라크 무기 및 기타 군사 장비 판매 금지 및 군사 협력 중지
o 대이라크 과학 기술 협력 및 GSP 부여 중지
※ 쿠웨이트 체류 영국인 3,000명, 이라크의 대프랑스 채무 50억불

3. 일 본 (8.5)

o 국내 이라크 및 쿠웨이트 자산 동결 및 자본거래 금지
o 대이라크 및 쿠웨이트 원유 도입 중단 및 수출 금지
o 대이라크 경제 협력 정지(엔 차관 동결)
※ 일본의 전체 원유 도입중 이라크산 8%, 쿠웨이트산 5.9% 차지

4. 소련 및 중국

o 대이라크 무기 판매 중지

0205

3. 교민 안전 및 철수 대책

가. 현 황

- ㅇ 이라크 및 쿠웨이트의 교민수는 총 1,337명(8.9 현재)으로 이라크 732명, 쿠웨이트 605명임.

- ㅇ 8.14. 현재 파악한 바로는 양 지역으로부터 아국 교민 피해는 없음.

- ㅇ 이라크, 쿠웨이트 침공 당시 실종되었던 아국 근로자 3명(현대 건설, 조춘택, 노재항, 김영호)은 이라크 당국에 억류중에 있었으나 외교 경로를 통한 교섭 결과, 8.10. 13:00 주이라크 아국 대사관에서 이라크 당국으로부터 신변을 인수 받았음. 동인들의 건강 상태는 양호함.

- ㅇ 교민은 현재 공관 및 업체별 캠프에 안전 대피중에 있으며 비상 연락망을 유지, 비상 철수시 집결 태세 완비

- ㅇ 전기, 식수, 식료품등에 큰 차질은 없음.

나. 철수 대책

1) 기본 방침

- ㅇ 고민 신변 안전에 최우선
- ㅇ 현지 공관의 비상 철수 계획과 연계 종합 철수
- ㅇ 사태 진전에 따른 단계적 비상 철수
- ㅇ 아국 수송 수단 이용, 불가피시 우방국 수송 수단 활용

0206

2) 방 안

o 집 결

- 현지 공관 판단하 공항, 항만 사용

- 인근국 철수 가능한 육, 해, 공로 가까운 지역 집결

- 우방국 작전군 지원 받을수 있는 군용 수단 동원

o 수 송

- 대한항공 투입(또는 외국항공)

o 육 로

- 요르단, 터어키등 고려

3) 문 제 점

o 공항 및 국경 폐쇄

- 이라크, 쿠웨이트 공항, 국경 통한 인접국 철수 불가능

o 외국인의 출입국 제한

- 단기 사증 입국 외국인은 출국 허용

- 장기 체류 외국인에게 출국 비자 불허

- 쿠웨이트 체류 외국인 경유 출국 문제는 이라크 당국과 협의 사항

o 특별기 이·착륙 이라크 정부의 허가 문제

- 외국 항공기 이·착륙 불허

다. 고섭 현황

o 주이라크 대사 이라크 외무부 영사국장 접촉

- 아국 교민에 대한 신변 안전 성의 표명

o 전세 항공기 이·착륙 허가 신청 가능성 타진

- 아국인에 대한 대우는 아직 호의적 반응

0207

라. 조치 사항

- 주쿠웨이트, 이라크 대사관에 아국 교민 신변 안전 대책 지시(8.2)
  - 교민 신변 보호 비상 철수 계획 점검 지시
- 외무부 비상 근무조 편성(8.2)
  국장 감독하에 서기관1, 사무관1, 행정 보조1명이 한조로 24시간 비상 근무 체제
- 정부 공식 입장 성명 발표(8.2. 22:00)
- 총리 주재 관계 부처 대책 회의(8.3. 08:00)
  - 총리 공관
- 주한 이라크 대사대리 외무부 초치(8.4)
  - 아국 입장 전달
  - 아국 교민 신변 안전, 보호 및 억류자 석방 강력 요청(실종 근로자 3명 인적 사항 전달)
- 관계 부처 실무 대책 회의(8.6)
  - 외무부 제2차관보 주재
  - 경제 제재 조치 문제점 파악
- 교민 철수 공관장 재량하에 현지 실정에 맞게 철수 지시
- 총리 주재 관계 부처 각료 회의(8.9)
- 경제 제재 조치 발표(8.9)
- 이라크, 쿠웨이트 사태 상황 대책반 설치(8.10)
- 관계 부처 실무 대책 회의(8.11)
- 교민 국내 가족과의 연락 관계 충실히 통보
- 주쿠웨이트 대사관 및 주이라크 대사관에 교민 안전에 최우선토록 지시

0208

4. 아국의 대중동 외교 정책

o 기본 대처 방향

- 국제 분쟁의 무력 해결 배격
  - · 대화와 협상을 통한 해결 기본 방침 존중
  - · 약소국의 강대국에 의한 침략 불용

- 유엔에 의한 국제 분쟁 조정 역할 지지
  - · 유엔군에 의한 6.25. 남침 격퇴 상기
  - · 확고한 입장 표명으로 북한의 오판 저지
  - · 유엔 결의에 따른 동조 방안 검토

- 아국 진출 인원 및 경제 이익 보호 조치 강구
  - · 교민 비상 식품등 업체와 협의, 조달 강구
  - · 진출 인원 철수 시기, 방법등 구체 방안 수립
  - · 수출 및 건설 수주, 미수급 문제등 경제 제재 조치와 관련한 후속 조치

0209

정 리 보 존 문 서 목 록					
기록물종류	일반공문서철	등록번호	2021010231	등록일자	2021-01-28
분류번호	721.1	국가코드	XF	보존기간	영구
명 칭	걸프사태 : 대책 및 조치, 1990-91. 전11권				
생 산 과	중동1과/북미1과	생산년도	1990~1991	담당그룹	
권 차 명	V.2 1990.8.16-31				
내용목차					

0001

쿠웨이트 및 이라크 교민철수 대책 회의자료

일 시 : 1990. 8. 16(목) 10:00
외무부 회의실 (정부제1종합청사 817호)

외 무 부
중 동 아 프 리 카 국

0002

Ⅰ. 현 황

ㅇ 이라크, 쿠웨이트를 침공(8.2)하여 전역을 완전 점령(8.4)후 이라크 10만 병력을 사우디 국경지대로 이동 집결(8.5)

ㅇ 미국의 대 이라크 군사개입 및 UN 제재 결의를 통한 대 이라크 압력 가중 및 이라크의 결사항전 태세에 따른 긴박한 상황 전개

ㅇ 이같은 급박한 상황아래 이라크 및 쿠웨이트 아국교민(1,296명)의 긴급 철수 시급

Ⅱ. 문제점

ㅇ 이라크 및 쿠웨이트 공항, 해로폐쇄에 따른 공로 및 해로이용 인접국 및 본국 철수 불가

※ 8.11. 이라크 당국, 아국포함 모든 외국항공기 공항이 착륙허가 불허 표명

ㅇ 유일한 철수방법은 육로이용이나, 일시 대규모 육로이동에 의한 요르단 국경통과시의 신변안전여부

Ⅲ. 철수대책(안)

가. 기본방침

ㅇ 교민신변안전에 최우선

ㅇ 일시 전원 철수를 원칙

- 비필수요원의 우선 철수

ㅇ 현지공관 비상철수 계획과 연계 철수

- 긴급상황시, 현지 공관장 재량하에 현지실정에 맞게 긴급철수

0003

○ 현지진출업체는 자체 철수계획의거 추진하되, 철수에 따른 외교교섭 및 필요 행정조치는 정부가 지원

○ 안전 철수를 위한 이라크 정부당국과의 사전긴밀교섭과 철수 인근국가 및 우방국가와의 긴밀협조

나. 철수 교섭 대상

○ 이라크당국, 철수 인근국가 와 미·일·영등 우방국가 및 국제적십자등

다. 철수단계

1) 가능한 조속한 시일내 철수개시

- 단기체류자일 경우, 교통편 강구즉시 인접국으로 우선 긴급 철수후, 본국철수
- 장기체류자일 경우 출국사증 획득 즉시, 철수

※ 인접철수 대상국은 요르단 및 사우디

2) 물자등은 우선 순위를 정해 수송수단을 보아 단계별 철수하되 긴급시 인원만 우선 철수

- 진출업체는 자체 판단에 의거 철수

라. 철수방법

1) 집결후, 육로이용 요르단 및 또는 사우디 국경통과 철수후, 항공편 이용 본국철수

2) 요르단 또는 사우디 국경통과 출국시 책임자, 인솔아래 이동

3) 필수요원은 이라크 및 쿠웨이트 공항재개시 아국 수송편(KAL 및 아국선박) 이용, 본국 철수개시 (필요시 우방국 수송수단 이용) 고려

4) 이라크 정부당국과 사전교섭하여, 긴급철수시 교민안전확보

5) 요르단 또는 사우디 육료로 철수에 대비, 동 국가 입국허가에 대한 사전교섭

0004

마. 세부 철수 방안

1) 집 결

o 시 기

- 현지 실정에 따라 가능한 조속철수
  (진출업체는 자체판단의거, 공관장 지휘하에 추진)

o 장 소

- 아국공관 또는 인근 아국업체 공사장(필요시 우방국 시설물)

o 방 법

- 산재 거주 교민의 인근 공사장등 집결
- 지역별로 집결

※ 진출업체는 공사현장별 집결

2) 철 수

o 수송(철수)지

- 요르단 또는 사우디로 긴급 철수
- 최종 철수지는 본국

※ 공항재개경우, 쿠웨이트 및 이라크에서 직접 본국 철수

o 수송방법 및 수단

<육로 및 공로이용>

- 현재 가능한 최적의 철수방법은 육로를 이용, 요르단 또는 사우디 국경통과에 의한 철수
- 수송수단은 각 진출업체 현장별 차량등 활용

0005

- 수송로
  - 이라크에서 철수시 :
    1) 지역별 집결지 (각 공사현장 Site 별등)→ 바그다드→ 요르단 국경(루투바근처, 538Km, 7시간소요)
    2) 바그다드 북부위치 집결지→ 바로 요르단 국경으로 육로이동
  - 쿠웨이트에서 철수시 :
    1) 쿠웨이트시내(집결지)
       → 이라크 (사판지역)
       → 요르단 (루트바근처, 총1,146 Km, 15시간 소요)
    2) 쿠웨이트시내(집결지)→ 사우디국경(살미지역, 1시간반 소요)

       ※ 이라크 당국, 아국인의 요르단 국경경유 철수허가 발표 (8.11)
- 요르단, 암만공항(또는 사우디공항) → 본국(KAL 특별기 또는 여객기 이용)

<공 로>

- 공항재개시, KAL 특별기등 투입, 본국 철수

  ※ 8.12. 이라크 당국 아국인 철수위한 항공기 착륙 허가불허 결정
  - 헌 상황아래서 공로 이용방법은 불가

0006

Ⅳ. 향후 조치계획

o 아국인의 단계적 철수추진

- 비필수요원 우선 철수

o 인접국에 대한 교섭

- 요르단 및 사우디 정부당국에 아국인 입국에 따른 제반 협조요청

o 공항재개대비, KAL 투입준비조치 (교통부와 협조)

o 전고민의 안전철수를 위한 기타 필요사항조치

- 이라크 당국의 아국인 안전철수보장 협조요청등 교섭

o 아국공관원 철수

- 상기아국인 철수완료 시점에 공관원 철수

첨부 : 당부조치사항

0007

<첨 부>

1. 당부 조치사항

o 주 이라크, 쿠웨이트 대사관에 아국 교민안전대책 강구 및 긴급철수 계획 수립 지시 및 사태 진전사항 보고지시(8.1)

o 외무부 비상근무조 편성(8.2)

- 국장 감독하에 서기관1, 사무관1, 행정보조1, 24시간 비상근무 체제

o 주요국가 반응 및 사태 파악지시 (주요공관) (8.2)

o 현지공관 조치사항(8.2)

<주 쿠웨이트>

- 쿠웨이트 건설현장 인원 캠프로 철수
- 빙상연락망 유지, 비상시 철수계획 점검

<주 이라크>

- 진출업체 공사현장 안전대책 강구
- 만일의 사태대비, 대피 및 사태 상응행동 사전 강구수립

o 주 이라크 대사관에 요르단 경유 교민 철수 가능성 확인보고 지시 (8.7)

o 주 제네바 대사에게 국제적십자사 접촉코 교민보호 및 철수문제 협조요청(8.7)

o 고민철수문제 공관장 재량하에 철수 결정지시(8.7)

0008

ㅇ 주 리비아등 8개 아국공관에 주재국 이라크대사와 접촉, 이라크, 쿠웨이트 거주 아국 교민 안전확보 교섭 지시(8.8)

ㅇ 이라크, 쿠웨이트 인접국 공관에 아국 교민 철수 대책 필요사항 준비지시(주 바레인, UAE, 터어키, 이란, 요르단 대사) (8.8)

ㅇ 주요공관에 주재국의 자구교민 보호 및 철수대책 파악 및 협조 가능성 여부 타진 보고지시(8.8)

ㅇ 사우디 동북부 지역 거주 비필수 교민의 조속 철수 권유 (주 사우디 대사, 8.8)

ㅇ 교민 철수 관련, 특별기 운항에 대해 이라크 정부에 협조요청 지시 (주 이라크 대사, 8.9)

ㅇ 이라크, 쿠웨이트 사태 상황 대책반 설치(8.10)

ㅇ 교민 국내가족의 연락 관계에 대해 신속통보

ㅇ 주 쿠웨이트 및 이라크 대사관에 교민안전에 최우선토록 지시(8.11)

ㅇ 교민 철수 추진지시(주 이라크, 쿠웨이트 대사) (8.11)
- 이라크 당국의 요르단 경유 교민철수 동의 의거

ㅇ 철수 교민 수 조치 지시 (주 요르단대사) (8.12)
- 요르단 경유(중계통과출국) 아국 교민에 대한 무비자 입국 조치 교섭
- 요르단 입국지점에 직원파견, 교민 철수에 편의제공 시행

ㅇ 사우디 동북부 지역거주 비필수 요원들 조속 철수 권유 (주사우디 대사, 8.8)

ㅇ 아국 교민이 가까운 시일내 조속 철수되도록 필요조치 강구 지시 (주이라크, 쿠웨이트 대사) (8.13)

ㅇ 교민 안전 철수에 대한 효율적 통제 위해 상황반, 현장에 통제반 편성 운영 (주이라크 대사관) (8.13)

ㅇ 주이라크대사, 이라크 외무성 영사국장 접촉, 쿠웨이트 교민 철수 지원 협조 요청 (8.14)

0009

이라크·쿠웨이트 교민 안전대책
관련부처 회의결과보고

1. 일 시 : 90. 8.16(목) 10:00-12:00

2. 장 소 : 외무부 회의실 817호

3. 주 재 : 이라크, 쿠웨이트사태 대책반장 권병현 대사

4. 주 제 : 이라크·쿠웨이트 교민철수대책

5. 주요토의내용 :

o 철수방침
- 필수요원을 제외한 전교민의 철수가 바람직
- 필수요원은 사태진전 관망후 단계적 철수가 바람직
- 현지 실정에 맞게 현지업체 철수계획과 연계 철수추진필요
  · 대다수 철수교민은 현대건설등 업체소속 임·직원임.

o 철수 경비지원 및 소요경비 정산문제
- 이라크 및 요르단 경유 철수 무의탁 교민의 숙식비 사후정산 필요시, 방안강구 필요
- KAL 전세기 투입시 탑승 철수교민의 항공임은 사후정산 바람직

o 이라크 및 요르단 체류숙박시설 활용문제
- 이라크내 현대 및 삼성종합건설 현장 캠프에서의 숙식제공에 감사
- 진출아국업체의 숙식제공에 대한 계속적 지원 필요
- 요르단내 숙박시설사용 경비지원 필요

0010

o KAL 특별전세기 투입문제

- KAL 특별기투입대비, 요르단 당국의 항공기 이,착륙허가 교섭시급
- 철수일자 확정시 KAL 특별기투입위한 사전 준비조치 시급

o 교민용 비상식품 지원문제

- 삼성, 현대건설등 현지 진출업체는 다소 여유있는 비상식품을 비축
- 업체외 고민용 비상식품을 가능한 진출업체에서 지원함이 바람직

6. 토의결과 (결정사항)

o 비필수요원 전원 철수원칙아래, 사태진전 관망후 필수요원의 단계적 철수 추진

o 현지 진출업체는 자체판단에 따라 자체 철수계획의거 철수하되, 현지 공관과의 긴밀협조아래 추진

o KAL 특별전세기 2대 (B 747 및 DC-10)의 요르단 암만공항 투입, 요르단 경유 교민을 본국으로 직접 철수

o KAL 특별기 운항 이·착륙 허가획득 외교적 방법 강구

o 철수교민의 KAL 전세기 항공임은 사후정산(소속업체 및 개인별)

o 현지 진출업체에서 가능한 무의탁 철수교민에 대해 숙식제공

- 부득이할 경우 사후정산 검토

0011

7. 조치예정사항

o 철수교민의 구체적 소속 및 일자별 철수 이동계획 파악

o KAL 특별전세기 투입준비

o KAL 특별기의 요르단 암만공항 이·착륙 허가교섭

o 철수교민의 귀국시까지의 체류경비지원 및 귀국항공임 사후 정산조치 (경기원, 건설부, 교통부 및 KAL 등 협조)

o 기타 철수관련 필요사항 조치강구

첨 부 : 1. 참석자 명단

2. 참고자료

가. 교민철수현황

나. 당부조치사항

0012

(첨 부 1)

참 석 자 명 단

o 회의주재 :	대책반장	권병헌	본부대사
o 참 석 자 :	외 무 부	이두복	중동아국장
	〃	최대화	국제경제국장
	〃	김삼훈	통상국장
	〃	허리훈	영사교민국장
	[redacted]		
	재 무 부	한택수	외환정책과장
	건 설 부	박유철	해외건설과장
	노 동 부	손원식	직업안정국장
	교 통 부	김세찬	국제항공과장
	현대건설	오정일	이사
	삼성종합건설	정무진	이사
	대한항공	한영식	부장

0013

(참고 2)

가. 교민철수현황

ㅇ 교민현황(8.16.현지)

- 이 라 크 : 총 673명
- 쿠웨이트 : 총 483명
- 총 계 : 1,156명

ㅇ 철수현황(8.16.현재)

- 이라크 교민 : 39명
- 쿠웨이트 교민 : 122명
- 총 계 : 161명

국가별 구 분	이라크 교민	쿠웨이트 교민
ㅇ 요르단 국경통과, 요르단 체류	25명 (8.13) (삼성종합건설 17명, 대한항공 및 가족3명, 대우상사 및 가족4명, 주이라크공관 고용원 1명) 3명 (8.14) (현대건설 소속 근로자) 11명 (8.15) (강남필터(주) 박관오 이사등)	5명 (8.7) (현대건설소속 근로자) 2명 (8.10) (김옥구 및 처) 95명 (8.16)
ㅇ 사우디 국경통과 사우디체류(현대건설 캠프 체류중)		20명 (8.14명) (대한항공 4명, 남승산업3명, 태권도사범 1명, 개인사업등 12명 ※ 이중 19명 8.20. KAL 편 귀국예정
계	39명	122 명

※ 참고 : 쿠웨이트 교민 200명 및 현대건설 소속 300명, 8.20까지 요르단 경유 철수예정

0014

나. 당부조치사항

o 주이라크, 쿠웨이트대사관에 아국 교민 안전대책 강구 및 긴급철수계획 수립지시 및 사태 진전사항 보고지시(8.1)

o 외무부 비상근무조 편성(8.2)
- 국장 감독하에 서기관1, 사무관1, 행정보조1, 24시간 비상근무 체제

o 주요국가 반응 및 사태 파악지시(주요공관) (8.2)

o 현지공관 조치사항(8.2)

<주 쿠웨이트>
- 쿠웨이트 건설현장 인원 캠프로 철수
- 비상연락망 유지, 비상시 철수계획 점검

<주이라크>
- 진출업체 공사현장 안전대책 강구
- 만일의 사태대비, 대피 및 사태 상응행동 사전 강구 수립

o 주 이라크 대사관에 요르단 경유 교민 철수 가능성 확인보고 지시(8.7)

o 주 제네바 대사에게 국제적십자사 접촉코 교민보호 및 철수문제 협조 요청 (8.7)

o 고민 철수문제 공관장 재량하에 철수 결정지시 (8.7)

o 주 리비아등 8개 아국공관에 주재국 이라크대사와 접촉, 이라크, 쿠웨이트 거주 아국 교민 안전확보 교섭 지시(8.8)

o 이라크, 쿠웨이트 인접국 공관에 아국 교민 철수 대책 필요사항 준비 지시(주 바레인, UAE, 터어키, 이란, 요르단 대사) (8.8)

o 주요공관에 주재국의 자국 교민보호 및 철수대책 파악 및 협조가능성 여부 타진 보고지시(8.8)

0015

o 사우디 동북부 지역 거주 비필수 교민의 조속 철수 권유
(주 사우디 대사, 8.8)

o 교민 철수 관련, 특별기 운항에 대해 이라크 정부에 협조요청 지시
(주 이라크 대사, 8.9)

o 이라크, 쿠웨이트 사태 상황 대책반 설치(8.10)

o 교민 국내가족의 연락관계에 대해 신속통보

o 주 쿠웨이트 및 이라크 대사관에 교민안전에 최우선토록 지시(8.11)

o 교민철수 추진지시 (주 이라크, 쿠웨이트 대사) (8.11)
- 이라크 당국의 요르단 경유 교민철수 동의 의거)

o 철수교민수용 조치지시(주 요르단 대사) (8.12)
- 요르단 국경통과 출국 아국교민에 대한 무비자 입국 조치교섭
- 요르단 입국지점에 직원 파견, 교민 철수 시행에 만전

o 주 사우디 대사, 사우디 동북부 지역 거주 비필수요원의 조속 철수
권유(8.8)

o 아국교민이 가까운 시일내 조속 철수되도록 필요조치 강구 지시
(주이라크, 쿠웨이트 대사) (8.13)

o 교민안전 철수에 대한 효율적 통제 위해 상황반, 행정반, 통제반 편성
운영(주 이라크 대사관) (8.13)

o 주 이라크 대사, 이라크 외무성 영사고민 접촉, 쿠웨이트 교민철수 절차
관련 협조요청(8.14)

o 요르단 입국위한 아국교민의 국경통과 비자, 요르단 국경선에서 즉시
발급토록 교섭, 동의를 득함.(8.14)

0016

报告資料 90-14(企行)
高位 黨政 懇談會 資料

最 近 中 東 事 態

1990. 8. 16.

外　務　部

0017

목 차

0018

I. 이라크·쿠웨이트 事態

1. 現 況

가. 이라크의 쿠웨이트 侵攻, 合併

o 이라크는 8月 2日 쿠웨이트를 侵攻하여 쿠웨이트를 完全 掌握後,

- 사우디 國境, 쿠웨이트 海岸에 兵力을 集結하고
- 化學武器 使用을 공언하면서
- 防禦陣地를 構築, 防禦態勢에 돌입함.

o 이라크는 8月 8日 쿠웨이트 合併을 일방적으로 宣言하여

- 英國이 人爲的으로 分離(1922)한 領土權을 回復했음을 主張하고
- 쿠웨이트內 外國公館을 8月 24日한 閉鎖할것을 通告함.

나. 主要國 反應 및 制裁措置

o 유엔 安保理는

- 이라크軍의 즉각적인 撤收와
- 쿠웨이트 合併 無効를 決議하고,
- 이라크에 대해 모든 商品의 輸出入 禁止等 經濟制裁 措置를 決議함.

o 美國 및 EC 國家等 主要 西方國들은

- 유엔결의에 따라 즉각 經濟制裁 措置를 취했으며,
- 미국은 지상군을 사우디에 投入하고 美國 主導下에 多國籍 軍艦으로 海上封鎖에 들어감.

o 脫冷戰後 새로운 地域強國의 平和에 대한 挑戰에 직면하여,

- 大多數 국가들은 安保理 決議 履行에 同參하고
- 소련 및 중국도 安保理 決議에 贊成하는등
- 豫想外의 國際的 呼應으로
- 이라크의 原油輸出이 事實上 完全 中斷되는등, 이라크의 孤立이 深化됨.

다. 事態의 長期化 조짐

o 이라크가 防禦態勢에 돌입하고

o 美國도 지상군 投入은 사우디 防禦가 任務임을 분명히하고 있음에 따라

o 軍事的으로 膠着 狀態가 持續되고 있어

o 事態의 신속한 解決 展望은 극히 不透明함.

2. 이라크의 意圖와 戰略

o 地域 覇權 掌握

- 이라크가 쿠웨이트를 合併하고
- 100萬의 軍事力으로 사우디를 이라크의 影響力下에 둘 경우,
- OPEC 原油生産量中 45% 이상을 좌지우지 할수 있어
- 世界 油價를 恣意的으로 造作할 수 있게되므로
- 아랍의 指導者로서 地位를 確保하게 됨.

o 이라크는 쿠웨이트 合併을 旣定 사실화하기 위하여

- 수천명의 미국 및 西方國民을 人質化하는 한편,
- 이스라엘의 아랍 占領 領土 撤收등 實現 不可能한 條件을 提示하면서
- 아랍 領土에 外勢인 美軍을 끌어들였음을 들어 사우디를 罵倒하고
- 아랍권의 反西方 團結을 圖謀하고 있음.

3. 美國 및 西方의 對應

o 미국등 주요 서방국가들은 사담 후세인 大統領의 屈服을 目標로

- 軍事的인 억지를 위하여 多國籍軍을 強化하고
- 經濟制裁로 内部 파탄을 促進시키며
- 쿠웨이트 合併 無効化를 위하여 共同 노력을 경주하고 있음.

- 특히 東西和解 무드의 影響으로

- 소련도 軍艦을 派遣하는등 유엔군이 構成될 경우 派兵 의사를 밝혔으며

- 이란 및 시리아도 對이라크 糾彈에 同參하는 한편,

- 이집트를 主軸으로한 아랍 聯合軍이 사우디에 派遣됨으로써

- 이라크에 대한 糾彈과 封鎖는 국제적으로 큰 呼應을 얻은것으로 評價됨.

4. 아랍권의 分裂

o 事態 解決에는 아랍권의 向背가 중요한 열쇄가 될 것이나,

- 初期에 消極的이던 사우디가 美軍 投入을 要請하였고

- 8月 10日 개최된 아랍 頂上會談에서 아랍 聯合軍의 派遣이 決定되었으나,

- 20개 아랍국중 8개국이 同參에 拒否하고있어 아랍권의 自體解決 展望은 弱化된 실정임.

5. 事態 展望

o 동 사태초기에는 극도로 尖銳한 軍事적 對峙狀況 이었으나,

- 이라크가 防禦態勢로 轉換하여,

- 본격적인 衝突 가능성은 감소된 것으로 보임.

o 이라크로서는 이미 封鎖에 따른 經濟隘路가 深刻해짐에 따라

- 協商條件을 提示하는등 宥和態度를 보이는 한편,

0022

- 아랍권의 支持確保를 위한 反西方 煽動은 물론,

- 경우에 따라서는 과격 回敎테러단체등을 動員해 테러를 恣行할 可能性도 있음.

o 대이라크 軍事, 經濟 措置는 西方經濟에도 打擊이 되므로

- 서방측은 經濟制裁 措置를 더욱 強化하면서,

- 유엔군 派遣을 決議하여 소련등을 同參시킴으로써 反美感情에 대처해 나갈 것으로 보임.

o 이라크나 서방측이 공히 長期化 態勢에는 脆弱하나,

- 이라크가 國際的 反應을 誤判한 것으로 보여

- 서방측의 經濟封鎖가 실효를 거둘 경우,

- 이라크의 立場이 弱化될 것으로 豫想되므로

- 아랍권이 提示할 妥協案에 응할 可能性도 있음.

o 事態가 이라크의 屈服으로 끝날 경우에도,

- 향후 이라크를 牽制할 地域 軍事強國이 없는 실정이며

- 東西和解 雰圍氣로 인해 美軍의 장기 駐屯 또한 不可能하므로

- 미국등 西方제국도 이라크와 對話와 協商을 摸索할 것으로 展望됨.

Ⅱ. 우리나라의 對이라크 經濟制裁

o 유엔 安保理는 8月 6日 대이라크 經濟 制裁 措置를 決議하고,

- 이라크에 대한 모든 상품의 輸出入 禁止,
- 新規 投資 禁止,
- 金融資産 流入 禁止등의 措置를 취하였으며,
- 유엔 事務總長은 우리나라도 동 制裁措置에 同參하여 줄 것을 要請하여옴.

o 이러한 經濟制裁 雰圍氣가 전 世界的으로 고조되어 가는 가운데,

- 우리나라도 關係 部處 實務會議등을 거쳐,
- 8月 9日 總理 主宰 관계부처 長官會議를 開催하여 經濟 制裁 措置를 決定하였음.

o 우리나라의 制裁 措置 決定 내용은

- 이라크 및 쿠웨이트의 國內資産 凍結,
- 이라크 및 쿠웨이트로부터의 原油 輸入 禁止,
- 新規 建設 受注 禁止,
- 武器, 軍需物資, 그리고 醫藥品등 인도적 物品을 除外한 상품輸出 禁止등임.

o 구체적인 後續措置는 關係 部處와 協議,

- 段階的으로 決定할 豫定임.

Ⅲ. 僑民 安全 및 撤收 對策

1. 現 況

o 이라크 및 쿠웨이트의 僑民數는 총 1,300여명으로,

- 이라크에 700여명, 쿠웨이트에 600여명이며,
- 8月 14日 現在로 양 地域에서 우리 僑民의 被害는 없는 것으로 把握됨.

o 이라크의 쿠웨이트 侵攻당시 실종되었던 현대건설 근로자 3명 (조춘택, 노재항, 김영호)은,

- 이라크 當局에 抑留중에 있었으나 外交經路를 통해 交涉한 結果,
- 8月 10日 주이라크 우리나라 大使舘에서
- 이라크 當局으로부터 身邊을 인수받았음.

o 교민은 현재 公館 및 業體別 캠프에 安全하게 待避中에 있으며,

- 8月17日부터 20日 사이 수차에 걸쳐 요르단 國境을 통해 撤收할 예정으로,
- 일차적으로 200여명선이 될 것으로 豫想됨.

o 現代建設 소속 근로자 314명은 8月 20日경 요르단 國境에 도착할 豫定이며,

- 단계적으로 追加 撤收를 進行할 計劃임.

2. 撤收 對策

o 僑民撤收의 政府 基本方針으로 僑民의 身邊安全 確保에 최우선을 두고,

- 현지 公館의 非常撤收 計劃과 連繫하여

- 종합 撤收를 檢討하고 있으나,

3. 問 題 點

o 이라크 및 쿠웨이트의 空港이 閉鎖된 현 狀況下에서,

- 空港을 통한 일괄 撤收는 어려운 狀態임.

4. 交涉 現況

o 주 이라크 대사로 하여금 이라크 당국과 접촉케 한 결과,

- 이라크 政府는 韓國人에 대한 格別한 身邊安全 保護 方針을 예하 각기관에 강력히 下達하였으며,

- 필수요원을 除外한 한국인의 撤收는 同意하였음.

o 따라서 政府는 요르단 國境을 통하여 撤收하는 方法을 採擇하고,

- 요르단 國境에서 通過査證을 즉시 發給 받을수 있도록 요르단 政府側에 協調를 要請, 同意를 確保함으로써,

- 우리僑民의 陸路 撤收方案이 可能해짐에 따라,

- 필수요원을 除外한 僑民의 早速한 出國許可를 이라크 當局에 要請
  하였으며
- 조만간 段階的으로 우리僑民의 撤收가 이루어질수 있을 것으로 豫想됨.

5. 이라크의 쿠웨이트內 各國 公館 閉鎖 要請

o 이라크는8月8日 쿠웨이트 合倂을 發表하면서,
  - 쿠웨이트內 모든 外國公館(65個)을 8月24日 까지 閉鎖하고,
  - 全 公館員들은 쿠웨이트로부터 出國할 것을 通報하였으나,

o 유엔 安保理에서는 8月9日 同 合倂을 無效로 決議함에 따라,
  - 美.英.佛等 西方諸國들은 同 要請의 默殺 方針을 밝히고
  - 關係國間에 共同 對處하기 위해 協議를 進行中에 있음.

o 우리나라도 유엔 安保理의 決議(662호)를 尊重하여,
  - 公館 撤收가 가지는 國際法的 意義에 留意하고
  - 閉鎖가 불가피한 境遇,
  - 우리나라의 國家 利益과 同 地域 在外國民 保護에 萬全을 기하는
    것을 최우선 目標로,
  - 소병용 大使외 3名의 公館員中 일부가 殘留하는等 現實的인 對策을
    講究中에 있음.

Ⅳ. 우리나라의 基本 對處 方向

o 政府의 同 事態에 대한 基本 對處 方向으로

- 國際 紛爭은 武力 사용을 통해 解決될 것이 아니라 對話와 協商을 통해 解決되어야 하며,
- 強大國의 弱小國에 대한 侵略이 용인되지 않도록
- 西方諸國과 共同 對處해 나갈 것임.

o 우리나라는 유엔에 의한 國際 紛爭 조정 役割을 支持하며,

- 유엔군에 의한 북한의 6.25. 南侵 격퇴 사실을 想起하여,
- 確固한 우리 立場의 表明으로 북한의 誤判을 沮止토록 해야 할 것이며
- 앞으로 유엔 決議에 따른 가능한 한 同調 方案도 검토해 나가고자함.

o 또한 우리 勤勞者와 우리나라의 經濟的 利益을 保護하기 위하여,

- 對僑民 非常食品 供給 問題는 관련업계와 협의, 調達 可能토록 할 것이며,
- 撤收 問題는 人員, 時期등을 고려한 具體적인 方案을 樹立하여
- 단계적으로 蹉跌 없도록 推進할 계획이며,
- 輸出, 建設受注, 未收金등 經濟 制裁措置와 관련한 문제에 대하여는 關係 部處와 繼續 協議, 解決策을 摸索하고자 함.

- 끝 -

이라크,쿠웨이트 事態 關聯事項과
우리나라의 對應 措置

국무회의보고
1차-1ㄴ

1990. 8. 16.

外　　務　　部

0029

目　　次

0030

1. 美國의 措置 內容

가. 外交的 措置 (8.2. 05:00)

o 美國은 유엔 安保理 決意를 主導, 이라크 孤立

- 이라크군의 卽刻的인 撤收와,

- 쿠웨이트 合併 無效를 宣言하고,

- 이라크에 대해 모든 商品의 輸出入 禁止등 經濟 制裁 措置를 취하고 모든 유엔 會員國에 同參할것을 촉구함

나. 經濟 制裁 措置

o 美國은 유엔 결의에 따라 즉각 經濟 制裁 措置를 취했으며,

- 동 조치 실행 위한 모든 必要 手段을 使用하여,

- 미국 주도하에 多國的軍으로 原油, 食料品등의 이라크 선박 수송에 대한 海上 제어에 들어감과 동시에,

o 英國 軍艦과 함께 8.14. 船舶 檢索 開始함

다. 軍事的 措置

o 이라크의 사우디 侵攻에 대비, 美 地上軍을 사우디에 投入하고,

o 多國的軍 結成을 主導하여,

o 모로코, 시리아, 이집트군과 聯合 作戰을 計劃中이며,

o 向後 25만여명의 美 地上軍과, 艦隊를 追加로 派遣할 計劃임

0031

2. 이라크측 措置 內容

가. 이라크는 8.2. 쿠웨이트를 侵攻 掌握후,

o 사우디 國境, 쿠웨이트 海岸에 兵力을 集結하고

- 化學武器 使用을 公言하며,

o 防禦 陣地를 構築, 全國이 戰爭 體制에 들어감

나. 쿠웨이트 駐在 外國公館 閉鎖 通告

o 이라크는 8.8. 쿠웨이트 合倂을 一方的으로 宣言하여,

o 모든 쿠웨이트 所在 外國公館을 8.24 까지 閉鎖하고 바그다드로 옮겨갈 것을 요구

다. 쿠웨이트 駐在 外國人 撤收 問題

o 이라크는 아시아 국가에는 비교적 友好的으로,

o 한국, 인도등 아시아계 외국인의 部分的 撤收를 許容하나,

o 미국등 西方國家 國民의 出國許可는 不許하고 있음

- 美國의 攻擊 억지 효과 기대

라. 對 이란 平和 提議 (8.15)

o 이라크는 西方에 軍事的 對應 目的으로,

0032

o 對 이란 平和 提議를 하였는바, 內容은

- 이란 占領地內 自國軍 撤收,
- 1975년 알제리 協約 遵守(샤트 알 아랍 양국 공동 관리) 및 戰爭 捕虜 交換임

o 동 제의는 이란측의 肯定的 反應을 얻고 있음

3. 主要國家 立場

가. 아랍권의 입장

o 초기에 消極的이던 사우디가 미군 투입을 요청하여, 공동 방어

o 8.10. 카이로 아랍 頂上會談에서 아랍 聯合軍의 派遣을 결정

- 그러나 20개 아랍국중 8개국이 同參에 拒否, 아랍권의 自體 解決 展望은 弱化된 실정임

o 아랍 聯盟은 이라크, PLO, 리비아등 强硬圈 요르단, 예멘등 中途國과 이집트, 모로코등 穩健國등 3개파로 分裂 되었음

o 요르단 후세인 국왕, 후세인 대통령 친서 휴대 미국 방문 (8.15)

- 협상 모색 (8.16. 부쉬 대통령과 회담 예정)

나. EC 제국

o 영국, 불란서, 이태리등 EC 주요 諸國은 이라크군의 쿠웨이트 侵攻을 일제히 非難, 卽刻 撤收를 요구 하면서 經濟 制裁에 同參하였는바, 그 주요 動向은 다음과 같음

0033

- 영국은 이라크군의 즉각 철수를 요구 하면서, 이라크 및 쿠웨이트에 대하여 資産 凍結 措置를 취하고 軍隊를 派遣하였음
- 불란서는 이라크군의 卽刻 撤收를 요구하면서 이라크와 쿠웨이트의 資産에 대하여 凍結 措置를 취하였음
- 기타 EC 제국도 영국 및 불란서와 비슷한 입장을 보이고 있음

다. 日 本

o 이라크의 쿠웨이트 侵攻에 有感 表明, 平和的 解決 希望, 유엔 安保理 制裁 決意時 同參을 表示

o 軍隊 派遣에 대하여는 헌법 이유로 否定的 立場 表現

라. 蘇 聯

o 대 이라크 制裁에는 同參하나 美國의 武力 介入에 反對
  - 海上 封鎖 措置 不參의사 表明
  - 유엔 多國的軍 結成할 경우 參與 議事 表明

마. 中 國

o 유엔 決議案 支持 및 대 이라크 武器 販賣 中止에는 동참하나
  - 美艦隊 걸프만 駐屯 및 이라크 資産 凍結 措置로 中東地域 緊張 高潮 非難

0034

4. 우리나라의 措置

가. 基本 對處 方向

o 정부의 동 사태에 대한 基本 對處 方向으로
- 國際 紛爭은 武力이 아닌 對話와 協商을 통해 解決되어야 하며,
- 强大國의 弱小國에 대한 侵略이 容認되지 않도록
- 西方諸國과 공동 대처해 나갈 것임

o 정부는 유엔에 의한 국제 紛爭 調整 役割을 支持하며,
- 유엔군에 의한 北韓의 6.25. 南侵 擊退 事實을 想起하여,
- 確固한 우리 立場의 表明으로 북한의 誤判을 沮止토록 해야 할 것이며
- 앞으로 유엔 결의에 따른 가능한 범위 내에서 同調 방안도 검토해 나가고자함

o 또한 우리 勤勞者와 우리나라의 經濟的 利益을 保護하기 위하여,
- 對僑民 非常食品 供給 問題는 關聯業體와 協議, 早速 可能토록 할 것이며,
- 撤收도 段階的으로 蹉跌 없도록 推進할 계획임

동 사태 관련, 정부는 다음과 같은 조치를 취하였음

나. 外務部 代辯人 聲明 發表 (8.2)

o 이라크의 軍事的 行動과 관련, 걸프지역내 事態 進展에 깊은 憂慮 表明

0035

o 이라크와 쿠웨이트간의 紛爭이 武力이 아닌 平和的 方法으로 解決 되기를 희망

o 이라크군이 쿠웨이트 領土로부터 早速히 撤收할 것을 촉구

다. 駐韓 이라크 大使代理 招致, 我國立場 傳達 (8.4)

o 쿠웨이트 및 이라크내 我國人 身邊 安全, 保護 措置 要請

o 抑留 또는 所在 未詳인 我國 勤勞者(3명) 早期 歸還 協調 要請
  - 근로자 3명 8.10. 석방

라. 유엔 사무총장은 8.6. 유엔 안보리가 대 이라크 경제 제재 조치를 취하였음을 통보하고 아측도 동참해 줄것을 공식 요청

마. 아측도 經濟 制裁 분위기가 전세계적으로 고조되자 關係部處 實務會議 및 총리 주재하에 關係長官 會議를 開催하고 經濟 制裁 措置를 決定(8.9)

o 이라크 및 쿠웨이트의 國內 資産 凍結

o 이라크 및 쿠웨이트로 부터의 原油 輸入 禁止

o 新規 建設 受注 禁止

o 武器, 軍需物資, 一般商品(人道的 물자 및 의약품 제외) 輸出入 禁止

0036

바. 이라크, 쿠웨이트 사태 대책반 설치 및 會議 開催 (8.11. 外務部 회의실) 하여,

o 僑民 安全保護 및 非常 撤收 對策 協議

o 대 이라크 經濟 制裁 措置 細部事項을 協議함

사. 國際 赤十字社에 我國 僑民 撤收 協調 要請 (8.8)

o 이라크 및 쿠웨이트 空港, 港灣 閉鎖 關聯,

- 我國 僑民 撤收 志願

5. 僑民 現況

가. 現 況

o 이라크 및 쿠웨이트의 僑民數는 총 1,300여명으로,

- 이라크에 700여명, 쿠웨이트에 600여명이며,

- 8월 15일 현재로 양 지역에서 우리 僑民의 被害는 없었으나

o 쿠웨이트에서 8.15 安全事故 發生 1명 死亡

- 방공호 작업중 흙더미에 압사

o 이라크의 쿠웨이트 침공당시 실종되었던 아국 근로자 3명(조춘택, 노재항, 김영호)은

- 이라크 당국에 抑留중에 있었으나 외교경로를 통해 석방 交涉한 결과,

- 8월 10일 주이라크 우리나라 大使館에서

- 이라크 당국으로부터 身邊을 引受받았음

0037

o 僑民은 現在 公館 및 業體別 캠프에 安全하게 待避中에 있음

나. 撤收 對策

o 僑民撤收의 政府 基本方針으로 僑民의 身邊安全 確保에 최우선을 두고,

- 현지 공관의 非常撤收 계획과 連繫하여

- 綜合 撤收를 檢討하고 있으나,

다. 問 題 點

o 이라크 및 쿠웨이트의 空港이 閉鎖된 현 狀況下에서,

- 空港을 통한 일괄 철수는 어려운 狀態이며,

- 港口 閉鎖로 海上 撤收도 어려운 狀態임

라. 交涉 現況

o 주 이라크 대사로 하여금 이라크 당국과 交涉케 한 결과,

- 이라크 政府는 韓國人에 대한 각별한 身邊安全 保護 方針을 隷下 各機關에 강력히 下達하였으며,

- 必須要員을 除外한 韓國人의 撤收는 原則的으로 同意하였음

o 따라서 政府는 요르단 國境을 통하여 撤收하는 방법을 採擇하고,

- 요르단 국경에서 通過査證을 즉시 발급 받을수 있도록 요르단 정부측에 協調를 要請, 同意를 確保함으로써,

- 우리교민의 陸路 撤收方案이 가능해짐에 따라,

0038

마. 撤 收

o 必須要員을 除外한 僑民이 이라크 政府로 부터 出國 許可를 받는 대로 段階的으로 철수가 이루어질 수 있게됨

- 일차로 쿠웨이트내 僑民 28명이 8.13 요르단 국경을 통과 하였고 쿠웨이트내 교민 역시 20명이 또한 8.14 사우디 국경을 통과 撤收中에 있음

- 8월17일부터 20일 사이 數次에 걸쳐 쿠웨이트내 교민이 요르단 국경을 통해 철수할 計劃으로,

- 一次的으로 200여명선이 될 것으로 예상됨

o 쿠웨이트내 현대건설 所屬 勤勞者 314명은 8월 20일경 요르단 국경에 到着할 豫定이며,

- 段階的으로 追加 撤收를 進行할 計劃임

o 8.17 현재 요르단 및 사우디 국경통과 교민 총 161명

6. 事後 對策

가. 僑民 撤收 및 經濟 制裁 後續 措置 관련,

o 금번 事態에 對應한 各 分野의 대책과 事後에 對備한 綜合對策을 상황대책반 中心으로 마련중에 있음

o 僑民 撤收 問題는 상황대책반에서 8.16 官.民이 緊密히 協議하는등 事態 進展 狀況을 보아 對處토록 할 것임

0039

나. 이라크의 쿠웨이트내 各國 公館 閉鎖 요청 관련,

o 이라크는 8월8일 쿠웨이트 合併을 발표하면서,
  - 쿠웨이트내 모든 外國公館(65개)을 8월24일 까지 閉鎖 (총영사관 설치는 무방)하고,
  - 전 공관원들은 쿠웨이트로 부터 출국할 것을 통보하여온바,

o 유엔 安保理에서는 8월9일 동 合併을 無效로 결의함에 따라,
  - 美.英.佛등 西方諸國들은 동 要請의 默殺 방침을 밝히고
  - 關係國間에 共同 對處하기 위해 協議를 進行中에 있음

o 우리나라 政府도 유엔 安保理 決議(662號 8.9)를 尊重하여,
  - 公館 撤收가 가지는 國際法的 意義에 留意하고
  - 閉鎖가 불가피할 境遇,
  - 우리나라의 국가 이익과 동 지역 재외국민 保護에 만전을 기하는 것을 최우선 目標로,
  - 소병용 대사외 3명의 공관원중 일부가 殘留하는 방안 및 총영사관 설치 방안등 현실적 대책을 檢討中에 있음

첨 부 : 참고사항

1. 교민 현황
2. 우리나라와의 경제 관계
3. 쿠웨이트 주변국 교민 및 외국인 현황

0040

이라크·쿠웨이트사태 관계국장회의

1. 일　　시 : 90. 8.17(금) 15:00-17:00

2. 장　　소 : 제1차관보실

3. 주　　재 : 제1차관보

4. 토의안건

   ㅇ 정세전망　　　　(중동아국, 연구원)

   ㅇ 사후대책　　　　(중동아국, 대책반)

   ㅇ 교민안전대책　(중동아국, 영사교민국)

   ㅇ 건설·원유대책 (국제경제국, 통상국)

   ㅇ 경제제재　　　　(통상국, 국제경제국)

   ㅇ 다국적군 참여 (미주국)

5. 참석대상

   ㅇ 사태대책반장

   ㅇ 중동아국장

   ㅇ 미주국장

   ㅇ 국제경제국장

   ㅇ 통상국장

   ㅇ 영사교민국장

   ㅇ 연구원 최의철 교수

6. 준비사항

   ㅇ 각 부서별로 소관사항에 대한 토의자료준비

0041

이라크.쿠웨이트 사태관련
대책회의자료

제1차관보 주재

일 시 : 1990. 8. 17. 16:00
장 소 : 제1차관보실

중동아프리카국

0042

목 차

0043

1. 사 태 전 망

가. 현 황

o 이라크는 쿠웨이트 합병을 기정 사실화 하는데 총력 경주
- 미국의 공격에 대비,
. 미.영등 서방인 이라크 억류, 대서방인 볼모 계획
. 이라크는 공격을 받을 경우, 화학무기 사용, 국제 테러등 대서방 위협

o 이라크. 국제 고립 및 경제 애로 타개노력 전개
- 반 시온이즘, 반 제국주의 선동으로 아랍권 공감대 및 명분 형성
- 대 이란 평화회담 제의 반미 공동 전선 획책
. 이라크의 전력 분산 방지
. 국제 및 역내 고립 탈피
. 보급로 확보

o 이라크의 대미 협상 모색
- 후세인 대통령의 협상 조건 제시
- 요르단 후세인 국왕 중재 대미 교섭 (8.15-16)
- 타리크 아지즈, 이라크 외무장관 대미 협상 용의 표명 (8.16)

o 미국의 대 이라크 경제 제재 및 군사 압력 강화
- 쿠웨이트 합병 무효화, 이라크군 무조건 철수
- 이라크의 경제 고사 및 내부 분열 기대
- 최정예 병력을 사우디에 배치하며 압력 가중

0044

나. 전　　망

o 대 이라크 장기적 군사 대치 및 경제 제재 조치는 서방 경제에도 큰 부담

- 사태 장기화 경우, 경제 제재 실효성이 의문

o 이라크의 서방인 인질 또는 인명가해 경우, 미국의 여론 및 국제 분위기 변화 가능성등으로 제재의 한계성 대두

o 이라크가 현시점에서 미국을 비롯한 다국적군을 상대로 전쟁을 도발할 가능성은 희박

o 돌발사태가 없는한, 미국등 서방측도 이라크와 대화와 협상 방안을 모색할 것으로 전망

2. 교민 철수

가. 현　　황 (총 1,156명 8.17 현재)

o 이라크 교민 : 총 673명

o 쿠웨이트 교민 : 총 483명

나. 철수 현황 (총 161명 8.17 현재)

o 이라크 교민 : 39명

o 쿠웨이트 교민 : 122명

0045

나. 철수계획

o 필수요원 제외한 교민 철수

- 예, 현대건설 필수요원 39명 제외, 근로자 275명, 8.17-18간 철수 예정

o 이라크 정부로 부터 출국 수속을 받는대로 단계적 철수, 8.20 전후가 절정 예상

o KAL 특별 전세기 투입 일괄 수송 예정 (운항 계획 별첨)

3. 쿠웨이트 공관 폐쇄

가. 문제의 제기

o 이라크 외무성, 쿠웨이트와 합병을 이유로 쿠웨이트 주재 외교 공관 업무를 주 이라크 대사관에 이관할것을 요청 (8.9자 회람 공한)

o 이라크 외무성은 다음과 같은 구체적 조치 예정

- 8.24 부로 대사관 폐쇄
- 외교관 및 외교직 이외의 공관 직원 전원 동일부로 쿠웨이트 퇴거
- 대사관 및 관저에 체류를 금하며, 동 재산은 무장 경호 관리
- 이라크 정부 허가를 받아 바그다드 주재 외교관을 파견하며 공관, 관저를 반환하며 재산 및 교민 보호에 임할수 있음
- 쿠웨이트 주재 외교관도 주 이라크 대사관 소속으로 신분 변경 잔류 가능
- 이라크 외무성이 지정한 일시에 무장 안내를 받아 육로로 요르단으로 출국

0046

나. 검 토 사 항

o 유엔 안보리 결의 662호는 쿠웨이트 합병 무효 선언과 간접적인 승인으로 간주되는 모든 조치를 금함

o 쿠웨이트 주재 65개 공관의 대다수가 이라크 조치를 거부하고 계속 유지 표명

o 현지 외교단 및 관계 정부간에 공동 대처 방안 협의(현지 외교단은 폐쇄시한 연기 교섭에 실패)

o 그러나 군사 점령하에서 현실적으로 폐쇄가 불가피할 경우에 대비하여 각국간에 상이한 대응을 보임

예) - 강제 폐쇄 조치시까지 유지 (미국)
- 교민 철수후 잠정 폐쇄 (일본)
- 강요 또는 사태 악화시 철수 (ASEAN)
- 철수 불가피 (이집트)
- 철수 준비 (스웨덴)

o 종합적으로 이라크의 강요시 철수가 불가피할 전망임

다. 대처 방안(안)

o 이라크측이 구체적인 폐쇄 절차를 제시하고 시한 연기를 거부한 사실 등으로 미루어 보아 폐쇄를 강행할 것임

o 이 경우 물리적으로 거부하는 것은 의미가 없음

0047

o 8.24 까지 쿠웨이트 교민 철수가 실질적으로 완료되는 경우 공관을 자진 폐쇄하고 철수

- 이 경우 본부 대변인 명의로 "정상업무 추진이 어려운 상황으로 자진 임시 폐쇄함"을 발표 (유엔 안보리 결의 준수)

o 시한내 잔류 교민이 있을경우 철수지원 및 보호에 필요한 최소인원을 주 이라크 대사관에서 파견

o 잔류 교민수가 많아 주 이라크 대사관 인원 차출이 어려울 경우, 주 쿠웨이트 대사관 인원중 최소 인원을 주 이라크 대사관으로 전보 발령, 잔무 처리

0048

管理番號	90-510

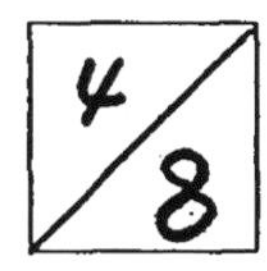

對이라크 經濟制裁措置와 國益保護 對策(案)

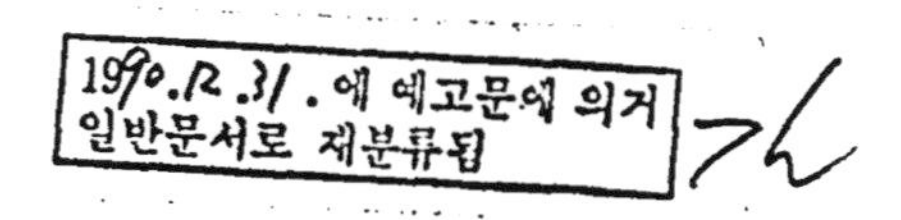

1990.8.17

外 務 部

0049

目 次

I. 經濟制裁措置 決定

가. 背 景

- ㅇ 유엔安保理 決議(8.6) 尊重
  - 我國은 유엔헌장 遵守 및 유엔의 諸決議 尊重 立場을 一貫되게 堅持
    - · 66.3. 對로디지아 制裁 同參等
  - 同 決議는 非會員國에 대해서도 制裁 參與를 明示的으로 要請
    - · UN 事務總長, 8.8 外務長官에게 我國의 同參 要請
- ㅇ 全世界的으로 制裁 雰圍氣 形成

나. 我國의 決定(8.9 國務總理主宰 關係部處長官 會議)

- ㅇ UN 安保理 決議를 尊重, 對이라크 經濟制裁措置 實施
  - 이라크 및 쿠웨이트로부터의 原油 輸入禁止
  - 商品(醫藥品等 人道的 物品은 除外) 交易禁止 및 武器等 軍需物資 輸出禁止
  - 新規建設受注 禁止 (進行中인 工事는 事態를 觀望)
  - * 各國內 이라크·쿠웨이트 資産 凍結關聯, 我國의 경우에는 同 資産이 없음을 確認
- ㅇ 現地 勤勞者等 滯留 我國民에 대해 可能한 安全措置 講究
- ㅇ 經濟制裁措置 履行 및 現地 我國民의 安全對策 關聯 對策班 設置

Ⅱ. 基本對策 方向

o 國際的 制裁에의 同參과 我國商社, 僑民等의 利益保護間의 均衡을 摸索

- 兩國 大使館을 活用, 원활한 의사소통 維持

o 原油導入, 一般商品 交易等이 이미 現實的으로 어렵거나 不可能한 狀況임에 비추어 今番 經濟制裁措置는 國內業界에 대하여 새로이 부담을 지우는 것은 아니라는 立場 堅持

- 迅速한 原油導入先 轉換 및 安定的 長期 供給先 確保가 國益에 符合
- 交易 禁止等으로 인한 被害發生 關聯, 業界의 政府補償 期待에 대해서는 여사한 補償은 不可함을 주지
  * 美國 및 英國, 民間業體가 입는 損失에 대해 別途의 補償措置 不考慮

o 建設의 경우, 新規受注는 中斷, 現在 進行中인 工事는 事態를 觀望할 수 밖에 없는 狀況임을 反映

o 同 地域에 대한 輸出減少分, 建設受注 中止分等은 他地域에서 挽回 方案 摸索

- 油價引上時, 餘他 産油國들의 輸入需要 및 建設發注 增大 豫想

14 - 3

0052

Ⅲ. 分野別 對策

1. 原油導入

가. 現 況

(90年 上半期中)

國 名	導入量 (千B/D)	全體導入量中 比重
이 라 크	39	4.2%
쿠웨이트	70	7.6%
計	109	11.8%

※ 90年 上半期中 全體導入量 928千 B/D

나. 問題點

o 이라크, 쿠웨이트로부터의 長期 導入契約 物量 供給中斷에 따른 不足分 確保 問題

- 이라크 20千, 쿠웨이트 55千 B/D

o 事態發生前 船積되어 現在 我國으로 運送中인 原油(쿠웨이트産 30만 배럴) 處理 問題

※ 美國은 8.2 以前 船積, 10.1 以前 美國 到着分에 대해 導入은 許可하나 代金은 美國內 凍結口座에 預置

o 旣導入 原油에 대한 代金 決濟 問題

- 쿠웨이트 國營石油會社側, 英國政府의 承認을 받았다면서 旣輸入 原油 代金 63백만불을 런던소재 英國銀行에 開設된 口座에 入金 要請

다. 我國에 대한 影響

o 短期的으로는 政府備蓄物量, 精油社 在庫, 現物市場에서의 購買等으로 需給對處 可能

- 政府備蓄量 : 約 4천만 배럴
- 精油社 在庫量 : 約 3천5백만 배럴
- 現在 輸送中 物量 : 約 2천만 배럴

* 國內 1日 平均消費量 (84만8천 배럴)을 勘案할 時, 我國 全體 導入量 3個月以上 充當 可能

* 이라크·쿠웨이트로부터의 導入 物量을 政府備蓄物量으로 1年 以上 供給 可能

o 今番事態로 國際 油價가 引上되더라도 石油事業基金(1조 6천억원) 및 關稅率(10%) 調整等을 통해 年內 國內 油價 引上없이 對處 可能

o 그러나 事態가 隣近地域으로 擴散될 경우, 原油需給蹉跌 및 油價急騰으로 인한 經濟에 대한 深刻한 打擊 不可避

라. 對 策

o 우선 對이라크·쿠웨이트 原油導入 中斷에 따른 不足物量(長期契約分 75千 B/D)의 確保에 注力하고, 政府備蓄物量(約 4천만 배럴)의 放出 時期 및 放出量은 國際油價時勢 및 原油需給 推移에 따라 決定

- 旣開發 海外油田 原油導入 : 24,500 B/D(북예멘 마리브 21,500 B/D, 이집트 칼다 3,000 B/D)
- 政策原油 早期 導入推進 : 25,000 B/D (리비아 15,000 B/D, 멕시코 10,000 B/D)
- 餘他 産油國으로부터의 追加導入 摸索
  - 이란 石油長官, 我國이 이라크, 쿠웨이트에서 供給받아왔던 物量 供給 用意 表明(8.11)

14 5

0054

o 事態發生前, 旣船積原油(쿠웨이트産)에 대한 代金決濟

- 一旦 英國內 쿠웨이트 國營石油會社 支社에 支拂, 英國政府가 海外 流出을 凍結토록 하는 方案도 考慮할 수 있으나, 쿠웨이트 國營石油 會社 本社側과 接觸이 안되고 실제 英國 支社의 代表性이 確認되지 않는 現狀況에서 事態를 일단 觀望

  · 我國의 對이라크 經濟制裁措置에 外換去來 中止措置 不包含

  · UN 決議에 쿠웨이트 前政府所有 財産의 適切한 保護措置 包含

o 我國 經濟制裁措置 發表前 船積, 輸送中인 原油導入은 許容

o 事態 長期化에 對備한 對策 講究

- 에너지 消費節約
- 原油導入先 多邊化 : 現在 中東地域으로부터 75% 以上 導入
- 長期契約導入 擴大 : 現 總導入物量의 60% 水準에서 70% 水準으로 擴大
- 原油 및 가스開發 參與 擴大
- 備蓄物量 擴大
- 代替에너지 開發等

마. 當部 措置事項

o 主要先進國 및 産油國 駐在 公館에 이라크, 쿠웨이트 事態關聯, 原油 需給 및 油價展望等에 대해 報告 指示(8.7)

o 原油 安定確保를 위한 對産油國 外交活動 强化 指示(8.13)

- 業界의 長期契約 物量의 정상 供給 및 增量供給 交涉 側面 支援

바. 國際 原油需給 및 油價展望

原油需給 展望

o 事態가 隣近地域으로 擴散되지 않는 한, 世界 原油在庫量, 各國 備蓄物量, 餘他 産油國의 增産 可能性等 考慮時, 短期的으로 이라크·쿠웨이트産 原油供給 中斷(約 450만 B/D, 自由世界 供給量의 約 10%)으로 인하여 世界 原油需給에 蹉跌은 없을 展望

- 世界 原油在庫量 : 1.8억 배럴
- 西方先進國 備蓄量 : 約 1백일분
- 餘他 産油國의 增産 可能量 : 約 350만 B/D
  - · 사우디(200만), 베네수엘라(50만), UAE(40-50만), 나이지리아(20-30만)등

油價 展望

o 現物市場 變動推移

	8.1	8.2	8.7	8.9	8.10	8.13	8.14
Dubai油	18.27	19.45	25.40	21.92	22.72	24.00	24.10
Brent油	20.58	22.20	29.40	25.84	25.70	26.77	26.55

※ 事態發生前日인 8.1 價格에 비해 Dubai 油의 경우 5.83弗, Brent 油의 경우 5.97弗 上昇

o 展 望

- 이라크의 쿠웨이트 侵攻後 며칠간 現物市場에서의 原油價 急騰現象은 原油供給의 不足보다는 全般的인 不確實로 인한 心理的 影響에 起因
- 向後 油價는 Gulf 만의 政治狀況이 惡化되지 않는 한, 安定勢를 回復하고, 油價 上昇幅은 餘他 産油國의 增産與否 및 消費國들의 對應推移에 따라 決定될 展望(21-23弗線 豫想)

14 - 7

0056

2. 建 設

가. 現 況

進出現況

o 이 라 크 : 현대等 7個業體 進出, 施工殘額 776백만불, 人力 628名
(施工殘額中 754백만불은 현대의 '701 수리조선소' 工事
受注額으로 着工 準備 狀態)

o 쿠웨이트 : 현대等 3個業體 進出, 施工殘額 82백만불, 人力 313名

未收金 現況

o 이라크 : 927백만불
- 旣成未收 32백만불, 留保金 125백만불, 어음 602백만불,
其他 168백만불
- 현대 790백만불, 삼성 73백만불, 남광 16백만불,
정우 43백만불, 한양 5백만불

o 쿠웨이트 : 65백만불(현대)
- 旣成未收 32백만불, 留保金 33백만불

나. 參考 事項

o 勤勞者 및 裝備 撤收 問題
- 撤收時期, 經費, 範圍, 方法等

o 旣進行中인 工事中斷에 따른 事項
- 契約不履行에 따른 問題等

o 未收金 回收 問題

다. 對策

ㅇ 勤勞者의 安全에 最優先 (撤收對策 別途資料)

- 撤收時期 및 方法等 撤收關聯 問題는 現地公館長과 進出業體間 緊密 協議 決定
  - · 公館長은 勤勞者의 身邊安全考慮, 撤收問題에 대한 最終 決定權 행사
  - · 단, 撤收에 따른 經濟的 損失等 모든 責任은 業體가 감수
- 化學戰 勃發 對備 (방독면 支援等)
- 事態의 隣近國家로 擴大 對備, 隣近國家滯留 勞動者의 身邊安全對策 事前 講究

ㅇ 新規受注 禁止

- 現在 進行中인 工事는 事態發展에 따라 融通性있게 對處

ㅇ 事態惡化로 撤收 또는 工事 中斷時, 工事代金 收金等 事後 豫想되는 問題에 대한 對備 徹底

- 發注處와 協議, 不可抗力에 의한 措置임을 正式文書化하여 事後 法的 摩擦 素地等 最小化
- 不可抗力에 의한 措置임을 證明하는 其他 根據資料 確保 및 維持 努力
- 各 現場別 機資材 在庫 把握 및 安全保管 對策 樹立
- 殘留 必須要員은 發注處와 繼續 接觸, 關係 維持

ㅇ 未收金 回收問題는 發注處와 協議, 極小化 하도록 努力

- 未收金 回收遲延에 따른 該當 業界에 대한 國內 支援 對策等은 財務部, 建設部等 關係部處에서 講究

14 - 9

0058

o 外國 進出業體의 動向 把握

- 이지역에서 建設受注를 하고 있는 餘他 國家들의 對策動向 把握 및 工事代金 受領等을 위한 共同步調 方案 檢討等

o 建設市場 多邊化

- 契約額 基準 地域別 占有比率(90年 上半期) : 중동(93.1%), 아프리카(0.7%), 아세아(4.9%), 태평양(1.3%)

o 勞動集約型 建設에서 技術集約型 建設로 轉換

o 施工受注 建設에서 engineering 및 管理監督型 建設로 轉換

3. 一般商品 交易

가. 現 況

(我國基準, 千弗)

	89 年		90年 (1-6月)	
	輸 出	輸 入	輸 出	輸 入
이 라 크	67,196	63,958	82,481	123,324
쿠웨이트	210,085	381,733	98,757	355,291

나. 問題點

ㅇ 交易禁止로 因한 關聯業體의 對政府 補償 要求 可能

- 旣船積 및 國內銀行 輸出換어음 買入(Nego) 完了되었으나 外國銀行이 代金을 決濟하지 않는 경우
- 旣船積되었으나 國內銀行의 Nego 中斷 경우
- 주문에 의한 生産完了내지 生産中인 경우

ㅇ 輸出入銀行 보험부보 部分에 대한 保險金 支給 問題

- 이라크 425件 408억원, 쿠웨이트 2件 89백만원

ㅇ 交易禁止로 인한 我國 輸出蹉跌 問題

다. 對 策

ㅇ 輸送手段 不在等으로 인해 一般商品 交易은 政府의 交易禁止 決定前에도 現實的으로 不可能했던 狀況으로 政府次元 補償 不可立場을 業界에 주지

- 交信(쿠웨이트의 경우), 船積書類 送付 및 信用狀 開設 不可等으로 國內 外國換銀行의 輸出換어음 買入 中斷

ㅇ 銀行 Nego 中斷으로 인한 企業의 資金壓迫 및 輸出代金 回收 遲延으로 인한 페널티 부과문제는 政府 補償次元이 아닌 國內産業政策의 次元에서 마련

- 하청 中小企業의 경우, 더욱 深刻한 資金 壓迫 豫想

ㅇ 具體的인 交易禁止 施行時期 및 方法은 事態 觀望後 決定

- 政府補償關聯 問題點 提起 可能性 最小化

14 - 11

0060

o 同 地域에 대한 輸出 차질로 인한 問題는 他地域에 대한 輸出 增大로 克服

對쿠웨이트 輸出은 주로 중계무역이므로 예멘, UAE 等으로 중계무역 거점 轉換 摸索

- 油價 引上으로 인한 餘他 産油國 輸入需要 增大를 活用

라. 展 望

o 船積遲延 및 旣注文 旣生産品目의 引導는 政府의 交易禁止와는 별도로 陸路 및 海上 輸送手段 利用 不可로 인하여 發生한 만큼, 業體의 對政府 補償 要求에도 限界 內在

o 對쿠웨이트 및 이라크 輸出額이 2억 8천만불로 我國 全體輸出의 0.4% 에 불과한 바, 今番事態가 我國 輸出全體에 미치는 影響은 미미

4. 資産凍結

가. 現 況

o 我國內 이라크 資産은 없으며, 쿠웨이트의 경우, 民間資産만 約 18백만불로 資産凍結 關聯 該當事項 無

※ 我國內 쿠웨이트 資産 現況 (約 1,400만불)

- 國內投資分(國際綜合金融) : 10,654천불
  - Kuwait Financial Center
  - Kuwait Reinsurance Co.
  - United Fisheries of Kuwait
  - Kuwait Investment Project Co.

- 商業借款(Syndicate Loan) : 3,457천불

  · 한국개발리스(1件) 쿠웨이트 걸프은행외 12個 銀行

  · 제일시티리스(2件) National Bank of Kuwait 外 3個 銀行

나. 對 策

o 美國等 西方의 이라크·쿠웨이트 政府資産 凍結 要請에 대해서는 同 資産이 韓國內에는 없음을 說明한 바, 同 立場 堅持

  * 獨逸의 경우, 쿠웨이트 亡命政權等이 資産 使用申請時 中央銀行에서 接受, 檢討하는 節次 마련중

5. 이라크 및 쿠웨이트內 我國資産 保護

가. 現 況

o 公館 및 廳舍는 國有財産이 아닌 政府 賃借

o 同 地域에 대한 合作投資等 海外投資 없음.

  - 我國 金融機關 進出도 없음.

o 建設業體 및 民間駐在商社의 現地銀行 預置金等 民間資産은 있을 것으로 豫想

나. 對 策

o 預置金等 民間資産 把握後 保護對策 樹立

o 事態安定時 我國 被害에 대한 補償 要求對策 事前 檢討

Ⅳ. 對策 施行方案

o 關係部處別로 所管事項에 대한 細部對策 마련, 對策班에서 總括 調整

- 原油는 動資部, 建設은 建設部, 一般商品交易은 商工部, 資産凍結은 財務部가 中心이 되어 細部對策 作成, 對策班에 提出
- 必要時 分野別로 關係部處·業界間 小會議 開催

o 對策班은 關係部處에 事態 進展狀況 隨時 通報

- 事態推移에 따라 部處別 伸縮的 對應體制 整備에 寄與 豫想 (끝)

예고 : 90.12.31 일반

14 - 14

0063

이라크·쿠웨이트 사태 관련 관계국장 대책회의 결과 보고

1. 일　　시 : 90.8.17(금) 16:00~17:30

2. 장　　소 : 외무부 제1차관보실

3. 주　　재 : 이정빈 제1차관보

4. 목　　적 : 이라크, 쿠웨이트 사태를 거시적 관점에서 관찰 종합적 대책 수립

5. 주요 토의 내용

- ㅇ 주쿠웨이트 공관 철수
  - 8.24 이후 공한 폐쇄 여부
  - 폐쇄시 대책
  - 타국과의 공동 보조
- ㅇ 고민의 신속, 안전한 대피
  - 공관원 가족 동반 철수 여부
  - 잔류 고민 보호 위해 공관원 투입
  - 고민 철수의 시기와 방법 결정 문제
- ㅇ 다국적군 편성에 참여 여부
  - 다국적 연합군의 설치 근거
  - 법적 성격 및 현실적 필요성
  - 아국 참여시 부수 영향

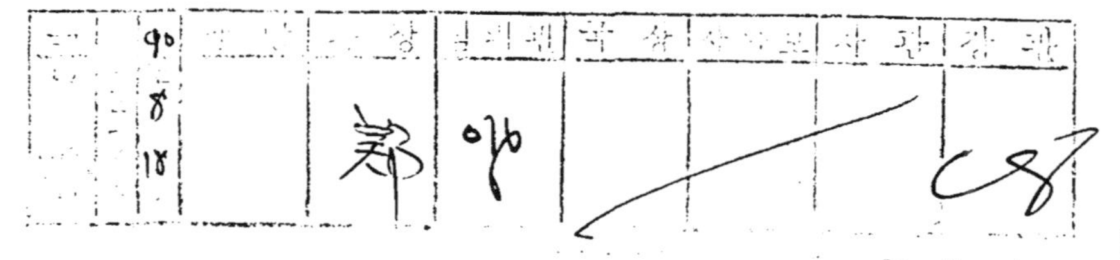

0064

o 경제 제재 조치 관련 아국 입장

- 경제 제재 조치 동참 의의
- 제재 조치 동참의 영향
- 원유 도입, 건설 수주 및 상품 수출의 애로점 및 대책

o 향후 사태 진전의 전망

- 금번 사태의 전망
- 아랍 지역에서의 미소 관계 변화 양상
- 아랍권내 역학 관계 재편성
- 한반도에 미칠 영향

6. 토의 결과

o 각 이슈별로 각 국별 분담하여 분석적이고 심도있는 종합 보고서를 작성 8.18. 대책반에 제출

o 대책반은 종합적이고 포괄적인 보고서를 내주초까지 작성

첨부 : 참석자 명단

0065

참석자명단

ㅇ 회의 주재 : 이정빈 제1차관보

ㅇ 참 석 자 : 권병현 이·쿠 사태 대책반장
이두복 중동아프리카 국장
반기문 미주국장
최대화 국제경제국장
김삼훈 통상국장
문동석 국제기구조약국장
허리훈 영사교민국장
최의철 외교안보연구원 교수

0066

"존안"

대이라크 경제제재 조치와 국익보호대책

90. 8. 17.
통 상 1과

대이라크 경제제재 결정

o 유엔 안보리 결의(8.6)를 존중, 8.9 총리주재 관계부처장관 회의에서 다음과 같은 대이라크 경제제재 조치 결정
  - 이라크 및 쿠웨이트로 부터의 원유수입금지
  - 상품교역금지(의약품등 인도적 물품은 제외) 및 무기등 군수물자 수출금지
  - 신규건설 수주금지(진행중인 공사는 사태를 관망)
  - 이라크 및 쿠웨이트의 국내자산동결(아국의 경우는 동 자산이 없음을 확인)

o 범세계적인 제재 분위기 속에서 국제적 제재에의 동참과 아국의 경제이익 보호간의 균형 모색
  - 원유도입, 상품교역등이 사실상 불가능한 상황이므로 국내업계에 새로운 부담 별무

원유수급대책

o 아국의 이라크 및 쿠웨이트로 부터의 원유도입량은 1일 평균 약 11만 배럴로 전체 도입량의 11.8% 차지
  - 이라크 및 쿠웨이트와의 장기 도입계약 물량(1일 7만5천 배럴) 공급 중단에 따른 부족분 확보에 주력
  - 사태의 장기화 전망에 따라 원유도입선의 조기전환 및 안정적 장기 공급선 확보 노력, 대산유국 외교활동 강화

0067

o 정부 비축량 약 4천만 배럴을 포함, 국내 비축물량이 9천 5백만 배럴에 달해 단기적 수급에는 문제점 없음.

- 이라크 쿠웨이트로 부터 도입중단된 물량은 정부 비축량으로 1년이상 공급 가능
- 부족분 확보를 위해 해외 개발유전 원유도입(북예멘, 이집트등에서 1일 24,500 배럴) 정책원유 조기도입(리비아, 멕시코에서 1일 25,000 배럴) 및 현물시장에서 구입등 조치

o 사태가 인근지역으로 확산되지 않으면 세계 원유수급에 큰 차질은 없을 전망이며 유가도 단기적으로 어느정도 인상은 불가피하나 21-23 불선에서 안정세 회복 가능

- 국제 유가인상시에도 석유사업기금(1조 6천억원) 및 관세율(10%) 조정을 통해 년내에는 국내 유가인상없이 대처 가능

o 사태 장기화에 대비, 근본적이고 지속적인 에너지 절약시책 추진, 원유도입선 다변화(현재 중동지역이 75% 이상 차지), 비축물량 확대, 대체에너지 개발등 종합 대책 적극 추진

건설대책

o 이라크와 쿠웨이트에 약 8억 6천만불의 시공잔액, 9억 9천 2백만불의 미수금 보유

- 이라크에 현대건설등 7개업체, 쿠웨이트에 현대건설등 3개업체 진출, 현대건설이 대부분

o 신규수주는 금지, 현재 진행중인 공사는 사태발전에 따라 신축적으로 대응

- 사태악화로 철수시에는 불가항력에 의한 것임을 정식문서화하여 사후 분쟁소지 최대한 제거

0068

o 금번 사태를 계기로 건설시장 다변화 및 기술집약형 건설로의 전환 적극 추진

- 90년 상반기중 중동건설이 93% 차지

o 근로자 안전에 최우선 부여

일반 상품교역대책

o 90년 상반기중 쿠웨이트 및 이라크에 대한 수출은 약 1억 8천만불(89년도 2억 7천백만불) 수입은 약 4억 8천만불(89년도 4억 4천 5백만불)

- 상품운송 및 교역에 수반되는 금융거래 불능등으로 사실상 교역 불가능
- 아국 전체수출의 0.4% 차지, 전체수출에의 영향은 미미

o 구체적인 교역금지 시행시기 및 방법은 사태관망후 결정

o 동 지역에 대한 수출 차질로 인한 손실은 타지역에 대한 적극적인 진출 증대로 극복

이라크 및 쿠웨이트 자산동결

o 현재 국내에는 이라크와 쿠웨이트 정부자산은 없어 자산동결관련 문제없음.

- 약 1천 8백만불 상당의 쿠웨이트 민자 존재

이라크 및 쿠웨이트내 아국자산 보호

o 동 지역에 대한 합작투자등 해외투자, 아국 금융기관 진출없음.

o 건설업체 및 민간 주재상사의 현지은행 예치금등 민간자산이 있어 피해 발생의 경우, 사태 안정시 피해보상요구대책 사전검토 (끝)

0069

대이라크 경제제재 조치와 국익보호대책

90. 8. 18
대책만에 제공.

I. 경제제재 조치 결정

대책 방향

o 유엔 안보리의 대이라크 경제제재 조치 결의(8.6) 존중
  - 아국은 유엔헌장 준수 및 유엔의 제결의 존중입장을 일관되게 견지

o 국제적인 대이라크 경제제재에의 동참과 아국의 국가이익 보호와의 균형 도모
  - 우방국들과 보조를 맞추되, 아국이 이라크측에 특별히 비우호적이라는 인상을 주지 않도록 신중히 대처

경제제재 조치 결정 내용

o 8.9 국무총리 주재 관계부처 장관회의시 아래 조치 결정
  - 이라크 및 쿠웨이트로 부터의 원유 수입금지
  - 상품(의약품등 인도적 물품은 제외) 교역금지 및 무기등 군수물자 수출금지
  - 신규건설수주 금지(진행중인 공사는 사태를 관망)
  - 각국내 이라크·쿠웨이트 자산 동결관련, 아국의 경우에는 동 자산이 없음을 확인
  * 8.17 현재 경제제재 조치를 유엔 사무총장에 공식 통보한 국가는 아국포함 44개국

0070

Ⅱ. 분야별 대책

원유수급

o 아국의 이라크 및 쿠웨이트로 부터의 원유 도입량은 1일 평균 약 11만 배럴로 전체 도입량의 11.8% 차지
  - 이라크 및 쿠웨이트와의 장기 도입계약 물량(1일 7만 5천 배럴)공급 중단에 따른 부족분 확보에 주력
  - 사태의 장기화 전망에 따라 원유 도입선의 조기전환 및 안정적 장기 공급선 확보 노력, 대산유국 외교활동 강화

o 정부 비축량 약 4천만 배럴을 포함, 국내 비축물량이 9천 5백만 배럴에 달해 단기적으로 수급대처 가능
  - 이라크·쿠웨이트로 부터 도입 중단된 물량은 정부 비축량으로 1년이상 공급 가능
  - 부족분 확보를 위해 해외개발유전 원유도입(북예멘, 이집트등에서 1일 24,500 배럴), 정책원유 조기도입(멕시코에서 1일 25,000 배럴) 및 현물시장에서 구입등 조치

o 사태가 장기화 되거나 확산되지 않으면 세계 원유수급에 큰 차질은 없을 것으로 전망되나 유가는 단기적으로 어느정도 인상 불가피
  - 현 상황에서 큰 변화가 없는 한 향후 수개월간 배럴당 21-25불선 예상
  - 국제 유가인상시에도 석유사업기금(1조 6천억원) 및 관세율(10%) 조정을 통해 년내에는 국내 유가인상없이 대처 가능

✓o 사태 장기화에 대비, 근본적이고 지속적인 에너지 절약시책 추진, 원유 도입선 다변화(현재 중동지역이 75% 이상 차지), 비축물량확대, 대체 에너지 개발등 종합대책 적극 추진

0071

건 설

o 이라크에 현대건설등 7개업체, 쿠웨이트에 현대건설등 3개업체 진출 (이중 98%를 현대건설이 차지)
  - 이라크와 쿠웨이트에 약 8억 6천만불의 시공잔액, 9억 9천 2백만불의 미수금 보유

o 신규수주는 금지, 현재 진행중인 공사는 사태발전에 따라 신축적으로 대응
  - 사태악화로 철수시에는 불가항력에 의한 것임을 정식 문서화하는등 사후 분쟁소지 최대한 제거
  - 미수금 회수문제는 발주처와 협의, 극소화하도록 노력

o 금번 사태를 계기로 건설시장 다변화 및 기술집약형 건설로 전환 추진
  - 90년 상반기중 중동건설이 93% 차지(계약액 기준)

일반상품교역

o 90년 상반기중 대쿠웨이트 및 이라크 수출은 약 180백만불, 수입은 약 480백만불 규모
  - 89년도 수출액 270백만불, 수입액 440백만불(주로 원유) 규모로서 아국 전체수출의 0.4% 차지

o 상공부 고시로 대이라크·쿠웨이트 교역금지조치
  - 현재 수송수단의 부재등으로 인해 일반상품 교역은 불가능한 상황이며 국내 외국환은행의 수출환어음 매입도 중단된 상태

0072

o 동 지역에 대한 수출차질로 인한 손실은 타지역에 대한 적극적인 진출 증대로 극복

- 대쿠웨이트 수출은 주로 중계무역이므로 예멘, UAE 등으로 중계무역 거점 전환 모색

이라크 및 쿠웨이트 자산동결

o 현재 국내에는 이라크와 쿠웨이트 정부자산은 없어 자산동결관련 문제없음.

- 약 1천 8백만불 상당의 쿠웨이트 민간자산 존재 (끝)

0073

이라크.쿠웨이트 사태
전망과 아국의 대응책

1990. 8. 18.

중동아프리카국
외 무 부

0074

목 차

0075

1. 사 태 전 망

가. 현 황

o 이라크는 쿠웨이트 합병을 기정 사실화 하는데 총력 경주

- 미국의 공격에 대비,

. 미.영등 서방인 이라크 억류, 대서방인 볼모 계획

. 이라크는 공격을 받을 경우, 화학무기 사용, 국제 테러등 대서방 위협

o 이라크 국제 고립 및 경제 애로 타개노력 전개

- 반 시온이즘, 반 제국주의 선동으로 아랍권 공감대 및 명분 형성

- 대 이란 평화회담 제의 반미 공동 전선 획책

. 이라크의 전력 분산 방지

. 국제 및 역내 고립 탈피

. 보급로 확보

o 이라크의 대미 협상 모색

- 후세인 대통령의 협상 조건 제시 (8.12)

- 요르단 후세인 국왕 중재 대미 교섭 (8.15-16)

- 타리크 아지즈, 이라크 외무장관 대미 협상 용의 표명 (8.16)

0076

o 미국의 대 이라크 경제 제재 및 군사 압력 강화

- 다국적군 포함 미 최정예 병력을 사우디에 배치하며 압력 가중
- 쿠웨이트 합병 무효화, 이라크군 무조건 철수
- 이라크의 경제 고사 및 내부 분열 기대
- 주요 우방에 대한 군사 압력 동참 촉구

나. 전 망

o 첨예한 군사적 대치 상태하 사태의 장기화 전망

- 사태 장기화 경우, 경제 제재조치로 이라크 경제에 큰 타격

o 대서방 경제 제재 해제 및 철군 요구 조건으로 미국인의 인질화 또는 대서방 테러 기도 가능

o 이라크가 쿠웨이트로 부터의 철수 의도가 없는한 사태의 해결 돌파구는 불투명

o 대 이라크 장기적 군사 대치 및 경제 제재 조치는 서방 경제에도 큰 부담 예상

- 사태 장기화 경우, 경제 제재 실효성이 의문

0077

o 이라크의 서방인 인질 또는 인명가해 경우, 미국의 여론 및 국제 분위기 변화 가능성등으로 경제.군사적 압력 제재의 한계성 대두 예상

o 따라서 이라크의 협상 조건중 쿠웨이트로 부터 철수한다는 내용도 포함되어 있는점에 비추어 미국은 동 사태를 외교적 방법으로 해결할 가능성도 있을 것으로 봄

2. 교민 철수

가. 현 황 (총 1,156명 8.17 현재)

o 이라크 교민 : 총 673명

o 쿠웨이트 교민 : 총 483명

나. 철수 현황 (총 196명 8.18 현재)

o 이라크 교민 : 74명

o 쿠웨이트 교민 : 122명

0078

다. 기본 방침

o 체류 교민의 신변 안전 최우선 가능한 한 신속 철수를 기본 원칙

- 쿠웨이트 교민은 전 교민 신속 철수 (주이라크 대사관 확인으로 철수 가능)

- 이라크 교민, 가능한 한 신속히 전원 철수

(출국 허가자 철수 및 미출국 허가자 출국 교섭 강화)

라. 방 법

o 요르단까지 육로 철수, 암만 집결

o KAL 특별 전세기 투입 일괄 수송 예정 (운항 계획 별첨)

8.20. 전세기 2편 운항, 약 500명 수송

o 기타 인원은 개별 귀국

o 이라크 교민 철수가 본격화될 경우 전세기 추가 취항 검토

마. 기 타

o 아국업체 소속 이외의 인원 298명 철수비용, 예비비 신청중

(쿠웨이트 은행 폐쇄로 인출 불능)

o 철수 지원반 파견

- 중동지역 근무 경험자중 중견 직원 2명 2주간 파견

0079

3. 쿠웨이트 공관 폐쇄

가. 문제의 제기

o 이라크 외무성, 쿠웨이트와 합병을 이유로 쿠웨이트 주재 외국 공관 폐쇄 및 업무, 주 이라크 대사관 이관 요청 (8.9자 회람 공한)

o 이라크 외무부 발표 내용

- 8.24 부로 대사관 폐쇄
- 외교관 및 외교직 이외의 공관 직원 전원 동일부로 쿠웨이트 퇴거
- 대사관 및 관저에 체류를 금하며, 동 재산은 무장 경호 관리
- 이라크 정부 허가를 받아 바그다드 주재 외교관을 파견, 공관 및 관저를 반환받고 재산 및 교민 보호에 임할수 있음
- 쿠웨이트 주재 외교관은 주 이라크 대사관 소속으로 신분 변경 잔류 가능
- 이라크 외무성이 지정한 일시에 무장 안내를 받아 육로로 요르단으로
- 출국경우, 경호를 받아 육로로 요르단 출국 가능

0080

나. 검 토 사 항

o 유엔 안보리 결의 662호는 쿠웨이트 합병 무효 선언과 간접적인 승인으로 간주되는 모든 조치를 금합

o 쿠웨이트 주재 65개 공관의 향후 태도 종합 검토

o 주요 국가의 대응 태도 : (별 첨)

- 강제 폐쇄 조치시까지 유지 (미국)
- 교민 철수후 잠정 폐쇄 (일본)
- 강요 또는 사태 악화시 철수 (ASEAN)
- 철수 불가피 (이집트)
- 철수 준비 (스웨덴)

o 이라크측의 구체적인 폐쇄 절차 제시 및 시한 연기 거부 사실

다. 대 책 (안)

o 공관 폐쇄는 원칙적으로 거부하고 여타국가와 공동 보조를 취하되 물리적 힘에 의하여 불가피 폐쇄 하여야 할 경우 일시적으로 공관 폐쇄

0081

o 공관 가족 및 비필수요원, 시한전 철수 노력

o 잔류 교민의 철수지원, 공관 및 관저 재산 보호에 필요한 최소인원을 주 이라크 대사관에서 파견

- 잔류 교민 전원 철수 재촉구

o 8.24 까지 교민 철수가 실질적으로 완료되는 경우 공관 잠정 폐쇄 (현지 관리인 지정)

4. 이란.이라크 평화 회담

가. 회 담 제 의

o 후세인 이라크 대통령은 90.8.15. 대 이란 평화조약 체결 제의 (이란 대통령앞 서한)

o 이란측은 동 제의 환영

나. 제 의 내 용

o 이라크군의 이란 영토로부터 철수

o 아랍수로(샤트 알 아랍) 양국 분할

o 전쟁포로 석방등

0082

다. Algiers 협정

o 체결일 : 1975. 3. 6

o 국제적 배경

- 미국의 무기 지원하에 이란 Shah의 Gulf내 영향력 증대

- 이란의 Shatt Al-Arab 수로 전역에 걸친 중간선(Thalweg Line) 분할 요구

- OPEC 회원국들, 이란의 요구 수락토록 대 이라크 압력

o 협정 내용

- Shatt Al-Arab 수로 전역 중간선(Thalweg line) 분할

- Saif Sad, Zain al-Qaws 등 이란이 점령중인 이라크 영토 반환

- 이란, Kurd인 반 이라크 정부 활동 지원 중단

라. 분석 및 평가

o 이라크는 이란과의 적대 관계를 청산

- 이란 국경 30개 사단을 사우디 국경에 이동

o 이란을 통한 물자조달 확보 (봉쇄 회피)

o 쿠웨이트 침공이후 이라크의 국제적 고립 탈피

o 이라크가 현재 심한 곤경에 처해 있다는 징후로 평가

0083

o 이란은 이라크 제의를 환영하나, 쿠웨이트 합병은 불인정

o 이란은 유리한 입장에서 시간을 가지고 이라크의 최대한 양보를 받아내는 정책으로 임할 것임.

o 이란은 걸프 지역에서 이라크을 견제할수 있는 유일한 국가이므로 미국 및 서방의 대이란 교섭도 강화될 것임.

o 만일, 이라크와 이란이 제휴할 경우 중동지역에서 역학구조가 바뀔 것이며 역내뿐만 아니라 세계평화에 도전 세력이 될 것임. 끝.

첨 부 : 1. 교민 철수 현황

2. 대한항공 전세기 운항 계획

3. 쿠웨이트 주재 외교 공관 철수 관련 각국 태도

0084

8. 20
대책반에 전달

라. 제재조치 참여문제

o 유엔 안보리 결의존중 8.9 대이라크 경제제재조치 결정

- 이라크 및 쿠웨이트로 부터의 원유 수입금지

- 상품(의약품등 인도적 물품은 제외) 교역금지 및 무기등 군수물자 수출금지

· 상공부, 8.22자로 대외무역법 규정에 의한 특별조치(수출입승인 금지) 실시 예정

- 신규 건설수주 금지

마. 아국의 경제적 이익보호 문제

1) 원유수급 관련

o 원유의 안정적 확보를 위한 대산유국 외교활동 강화

o 사태 장기화에 대비 원유도입선 다변화, 비축물량 확대, 대체에너지 개발 및 에너지 절약시책등 종합대책 적극 추진

2) 건설 관련

o 건설관련, 사태악화로 현장 철수시에는 불가항력에 의한 것임을 정식 문서화 하는등 사후 분쟁소지 최대한 제거

o 미수금 회수문제는 발주처와 협의 극소화 노력

o 장기적으로는 금번 사태를 계기로 건설시장 다변화 및 기술집약형 건설로의 전환 추진

3) 일반교역 관련

o 이라크 및 쿠웨이트 지역에 대한 수출차질로 인한 손실은 타지역에 대한 적극적인 수출 증대로 극복

- 대쿠웨이트 수출은 주로 중계무역이므로 예멘, UAE 등으로 중계무역 거점 전환 모색

0085

2) 세계경제 전망

o 사태가 장기화 되거나 확산되지 않으면 세계 원유수급에 큰 차질은 없을 것으로 전망되나, 유가는 단기적으로는 인상 불가피

- 현상황에서 큰 변화가 없는 한 향후 수개월간 배럴당 21-25불선 예상

o 금번 사태후에도 유가인상 여파는 당분간 계속

- 1,2차 석유파동시와 같은 혼란은 없으나 전반적으로 경제운영에 영향

o 저성장 및 인플레 예상되나 심각한 경기침체는 없을 것으로 전망

- 비산유 개도국 및 동구권 국가의 경우는 특히 어려움 예상

~~※ 소련의 경우는 유가인상으로 경화수입 대폭 증대 전망~~

~~- 유가 1불 상승시 수출대금 5억불 증가~~

0086

이라크-쿠웨이트 事態 綜合 対策

1990. 8. 20

外 務 部

0087

1. 事態展望

가. 現況

나. 今後 展望

2. 우리의 目標 및 戰略

3. 當面 問題 處理 方案

가. 基本 目標

1) 我國人 安全, 迅速撤收
2) 유엔 原則 遵守 및 美國等 友邦과의 關係 尊重
3) 上記 基本 目標下, 我國의 쿠웨이트, 이라크所在 利益 保全

나. 現地 僑民 撤收 對策

다. 쿠웨이트駐在 大使館 撤收 問題

라. 經濟制裁措置 參與問題

~~마. 多國籍軍 參與問題~~

마. 아국의 경제적 이익보호문제

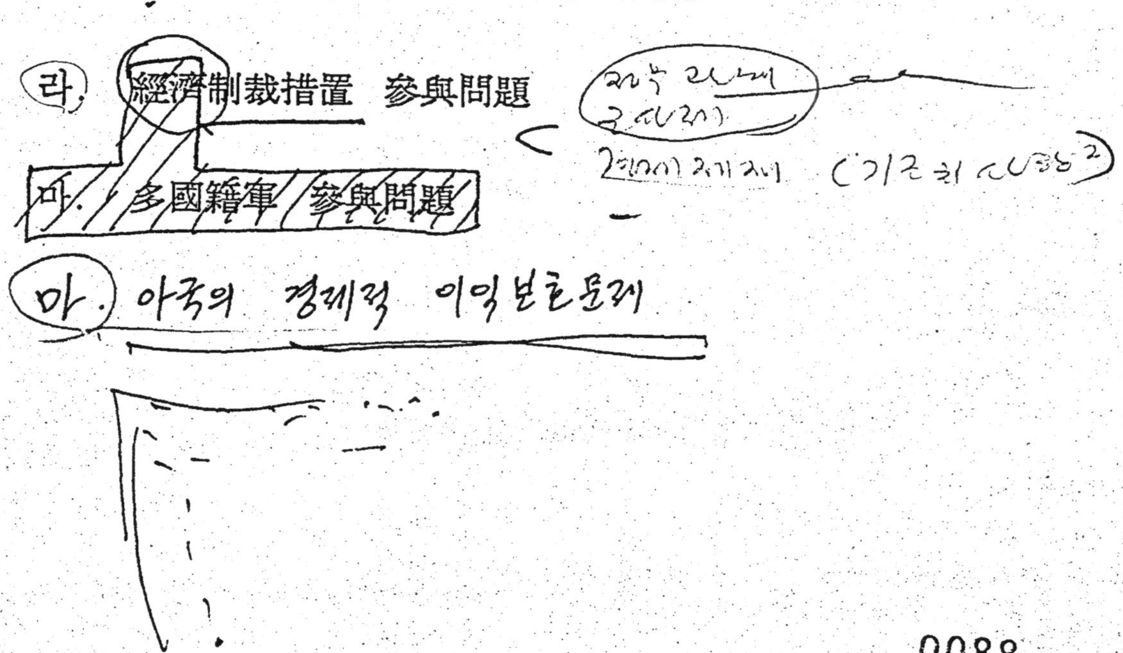

0088

3. 事後 對策
(수개월내 事態 解決 前提)

가. 事態後 情勢展望

1) 國際情勢 全般 및 美.蘇關係

- 冷戰體制 以後의 美.蘇 協調 關係 發展
  - 對蘇 經協 肯定的 轉換 可能性

- 蘇聯의 影響力 減少, 당분간 美國에 의한 一強體制 維持
  ~~當分間 維持~~

- 유엔의 紛爭解決 機能強化. 發展

2) 아랍圈內 勢力판도 재편

- 아랍圈의 分裂은 持續될 展望

- 이라크과 이집트의 主導的 役割 浮上

- 사우디의 位相 格下

- 이스라엘占領地 撤收 要求 強化

2) 世界經濟 展望

- 금번 事態後에도 油價引上 여파 당분간 繼續

- 1, 2次 石油波動時와 같은 混亂은 없으나, 全般的으로 經濟運營에 影響

0089

나. 韓半島 情勢에 대한 影響

1) 短期的으로는 北韓의 軍事的 모험 試圖 衝動 憂慮

- 금번 事態로 인한 不安定한 國際情勢 惡用
- 이라크에 대한 軍事支援 可能性

2) 長期的으로는 北韓의 挑發에 대한 抑制 要因으로 作用

- 武力 侵略 行爲에 대한 膺懲體制 強化
- 美. 蘇 協調體制 發展

다. 우리의 對應策

1) 對아랍

o 아라크. 쿠웨이크. 사우디 등에 特使 派遣
- 事前準備 徹底, 經濟利益 最大 確保

o 事態後 經濟再建計劃 參與위한 民. 官 協調 體制 構成

2) 對北韓 對策

o 全世界的 武力 挑發 膺懲 雰圍氣 活用. 北韓의 武力統一政策 포기 종용, 南北對話 推進

o 中. 蘇關係 正常化 積極 推進, 韓半島 平和 共存 體制 構築위한 周邊國 공감대 形成

0090

3) 對유엔

ㅇ 南.北韓 유엔 同時加入 積極 推進

- 北韓의 武力挑發 危險性 指摘, 유엔體制下 平和 定着 追求

4.

0091

판 인 책 략

상 공 부

무 정 28110- 1349 (503-9432) 1990.8.20.

수 신 수신처참조

제 목 대이라크 무역특별조치 실시

대외무역법 제4조의 규정에 의거 다음과 같이 무역에 관한 특별조치를 실시하니 관련업무 수행에 만전을 기하시기 바랍니다.

다 음

1. 특별조치의 내용 : 다음의 경우는 수출.수입승인 중지

o 이라크 또는 쿠웨이트를 원산지 또는 선적항으로 하는 수입

o 이라크 또는 쿠웨이트를 도착지로 하는 수출

2. 대상물품 : 한국통일상품분류(HSK) 고시품목 전체

3. 시행기간 : '90.8.22부터 상공부장관이 별도 통보하는 시기까지

4. 기 타

o 의약품등 인도적소요에 해당하는 물품에 대하여는 제1호 및 제2호에 불구하고 상공부장관의 허가를 얻어 수출승인할 수 있음.

o 이상 언급한 사항이외의 수출.수입에 관한 사항에 대하여는 원칙적으로 대외무역관리규정에 따르며, 필요시 상공부(무역정책과)에 문의하여 처리함. 끝.

상 공 부 장 관

수신처 : 외무부장관, 재무부장관, 농림수산부장관, 동력자원부장관, 건설부장관, 보건사회부장관, 교통부장관, 관세청장, 세관장, 산림청장, 수산청장, 수출자유지역관리소장, 한국은행총재, 외국환은행장, 대한무역진흥공사장, 한국무역협회장, 한국무역대리점협회장, 한국수출물품구매업자협회장, 각수출입조합장, 국방부장관.

접수일시	1990. 8.22		재(공란)
처리과	23206		

0092

報 告 畢

長 官 報 告 事 項

1990. 8. 21.
通 商 局
通 商 一 課(45)

題 目 : 對이라크 商品交易禁止 特別措置 施行

對이라크 一般商品 交易禁止 關聯, 商工部는 對外貿易法 規定에 의한 特別措置(EL/IL 發給禁止措置)를 90.8.22字로 實施함을 해당 外國換銀行 等에 示達한 바, 同 內容을 아래 報告드립니다.

1. 特別措置 內容

가. 輸出·入 承認 中止

o 이라크 또는 쿠웨이트를 原産地 또는 船積港으로 하는 輸入承認 中止

o 이라크 또는 쿠웨이트를 到着港으로 하는 輸出承認 中止

나. 對象 品目

o 全品目에 대해 輸出·入 承認 中止

- 但, 醫藥品等 人道的 所要에 해당하는 物品에 대하여는 商工部長官의 許可를 얻어 輸出 承認 可能

다. 實施 期間

o 90.8.22부터 商工部長官이 別途 通報하는 時期까지

2. 對外 發表

o 今番 特別措置 關聯 別途로 國內 報道資料는 배포하지 않음. (끝)

앙 고 재	통상1과	91 년 월 일 결	담 당	과 장	국 장	차관보	차 관	장 관
			(서명)	(서명)	(서명)			

0093

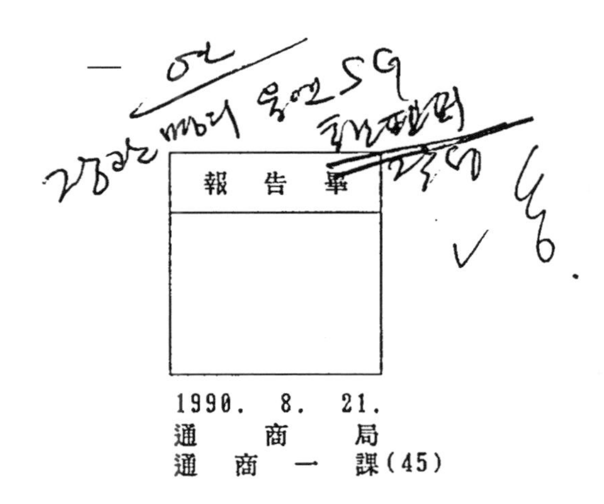

長官報告事項

1990. 8. 21.
通 商 局
通 商 一 課(45)

題 目 : 對이라크 商品交易禁止 特別措置 施行

對이라크 一般商品 交易禁止 關聯, 商工部는 對外貿易法 規定에 의한 特別措置(EL/IL 發給禁止措置)를 90.8.22字로 實施함을 해당 外國換銀行 等에 示達한 바, 同 內容을 아래 報告드립니다.

1. 特別措置 內容

가. 輸出·入 承認 中止

- 이라크 또는 쿠웨이트를 原産地 또는 船積港으로 하는 輸入承認 中止
- 이라크 또는 쿠웨이트를 到着港으로 하는 輸出承認 中止

나. 對象 品目

- 全品目에 대해 輸出·入 承認 中止
  - 但, 醫藥品等 人道的 所要에 해당하는 物品에 대하여는 商工部長官의 許可를 얻어 輸出 承認 可能

다. 實施 期間

- 90.8.22부터 商工部長官이 別途 通報하는 時期까지

2. 對外 發表

- 今番 特別措置 關聯 別途로 國內 報道資料는 배포하지 않음. (끝)

0094

이라크, 쿠웨이트사태

(교민 철수현황)

1990. 8.21.

영 사 교 민 국

0095

1. 고민현황

국 별	고 민 현 황
이 라 크	ㅇ 총 고민수 : 732명 - 진출업체 근로자 660명 - 주재 상사원 및 가족 26명 - 공관원 및 가족 26명 - 기 타 20명
쿠웨이트	ㅇ 총 고민수 : 648명 - 진출업체 근로자 319명 - 주재 상사원 및 가족 38명 - 공관원 및 가족 39명 - 기 타 252명
계	1,380명

- 90. 8.10. 현재

2. 주요 조치사항

ㅇ 주이라크, 쿠웨이트 대사관에 아국고민 안전대책 강구 및 긴급철수계획 수립 지시 및 사태 진전사항 보고 지시(8.1)

- 주쿠웨이트 대사관 조치사항(8.2)
  . 쿠웨이트 건설현장 인원 캠프로 철수
  . 비상연락망 유지, 비상시 철수계획 점검
- 주이라크 대사관 조치사항(8.2)
  . 진출업체 공사현장 안전대책 강구
  . 만일의 사태대비, 대피등 대응책 수립

0096

o 주이라크 대사관에 요르단 경유 고민 철수가능성 확인 보고 지시(8.7)

o 주제네바 대사, 국제적십자사에 고민보호 및 철수문제 협조 요청(8.7)

o 고민철수문제 공관장 재량하에 철수결정 지시(8.7)

o 주리비아등 8개 아국공관에 주재 이라크 대사관과 접촉, 이라크, 쿠웨이트 거주 아국고민 안전확보 교섭 지시(8.8)

o 이라크, 쿠웨이트 인접 공관(주바레인, UAE, 터어키, 이란, 요르단 대사관)에 아국고민 철수대책을 위한 협조 지시(8.8)

o 주요공관에 주재국의 자국고민 보호 및 철수대책 파악 및 협조 가능성등 타진 보고 지시(8.8)

o 주이라크 대사관에 고민철수용 특별기 운항허가 취득을 위한 교섭지시(8.9)

o 주이라크 대사, 외무부 영사국장 접촉(8.11)
  - 아국고민 안전을 위한 배려요청 및 아국 특별기의 착륙허가 요청

o 주이라크 대사, 외무부 영사국장 접촉(8.12)
  - 주재국 영공폐쇄로 특별기 착륙허가는 어려우나 요르단 국경을 통한 육로 철수에는 동의

o 주이라크 대사, 외무부 정무국장 접촉(8.12)
  - 주재국 정부가 한국고민에 대하여 특별 취급토록 지시한바 있다고 언급

o 주이라크 공사(권찬), 외무부 의전장 보좌역(전주한 이라크 총영사) 접촉 (8.12)
  - 공관 가족 철수를 위한 협조를 요청
  - 주재국 정부는 현재 전외고관 및 가족의 출국을 금지시키고 있으나 수일내(3-4일) 이에 관한 지침을 마련할 예정

o 주이라크, 쿠웨이트 대사관에 현지고민 철수를 지시(8.12)
  - 8.12. 이라크 당국의 요르단을 경유한 철수 동의에 의거, 단기체류자, 부녀자, 유아등 비철수 요원에 대한 출국허가 요청

o 사태 장기화 가능성에 대비, 주요 인접국(사우디, 바레인, 카타르, UAE, 요르단)에 거주하는 비필수 고민의 조기철수 지시(8.12)

0097

o 주요르단 대사에게 이라크, 쿠웨이트 거주 아국교민의 무비자 요르단 입국을 위한 교섭 지시(8.12)

o 본부 중동아국장, 주한 이라크 대사 대리 면담(8.13)

- 모든 한국인의 요르단 경유 출국허용에 관한 이라크 정부의 입장을 전달 받음

o 이라크 정부의 교민철수 허용에 따른 구체사항 협의토록 주이라크, 쿠웨이트 대사관에 지시(8.13)

- 출국허가 간소화 방안, 수송경로, 출국일시등 최단시일내 실현토록 협의

- 업체등과 협조, 철수시 후유증과 사후법적 마찰소지 최소화 대책 강구

o 이라크, 쿠웨이트 고민의 안전철수에 대한 효율적 통제를 위해 현지 상황반, 행정반, 통제반 및 하부조직 편성, 운영(8.13)

- 주이라크 대사 지휘

o 주이라크 대사, 외무부 영사국장 접촉, 쿠웨이트 고민철수절차 관련, 제반 편의제공등 협조 요청(8.14)

o 주이라크 대사, 외무부 의전장 접촉(8.15)

- 외교관 철수에 관한 지침이 확정되지 않았으며 지침 확정시까지 2-3일 추가 소요예상

o 주이라크 대사, 외무부 영사국장 접촉(8.18)

- 8.19 부터 모든 외교관 및 가족(국가 제한없음)의 출국 보장

o 주이라크 공사(권 찬), 의전실 특별보좌관 접촉(8.19)

- 8.19. 10:00시부터 아주지역 외교관 및 가족의 출국허용

- 출국방법은 육로 및 항공으로 공히 할 수 있으나 육로의 경우 종전과 같이 여행허가서(발급에 5일간 소요) 필요

o 주요르단 대사, 대한항공의 암만공항 착륙허가 취득(8.18)

o 주이라크 및 쿠웨이트 대사에게 전교민(업체 필수요원 및 공관원가족 포함) 긴급철수 추진 지시(8.18)

0098

o 주쿠웨이트 공관의 최소 필수요원만 잔류, 기타인원 전원 철수 지시 (8.19)

3. 고민철수현황

가. 이 라 크

o 8.13. 현대건설 근로자등 25명 요르단 경유 철수
  - 삼성종합건설 근로자 및 가족 17명, KAL직원 및 가족 3명, 대우상사원 및 가족 4명, 주이라크 공관 고용원 1명등

o 8.15. 현대건설 근로자 3명 요르단 경유 철수

o 8.15. 강남필터(주) 직원 11명 요르단 경유 철수

o 8.17. 정우개발 근로자등 26명 요르단 경유 철수
  - 정우개발 근로자 13명, 현대건설 출장자 1명, 상업은행.외환은행 주재원 각 1명 및 가족등 8명, 대우직원 1명 및 가족등 4명

o 8.18. 삼성 종합건설 근로자 15명 요르단 향발
  - 태국 근로자 34명 동행

o 8.18. 남광소속 아국근로자 4명 한공편으로 요르단 향발

o 8.19. 현대건설 근로자 5명 요르단 향발
  - 태국 근로자 1명 동행

o 8.19. KAL 직원 1명 항공편으로 요르단 향발

o 8.21. 현대건설 근로자 5명 요르단 향발

※ 8.16. 현대건설 701공사 아국 근로자 144명중 64명 바그다드 캠프로 철수 완료

나. 쿠웨이트

o 8.14. 쿠웨이트 거주 고민 20명 사우디국경 통과 철수
  - KAL 지사장 가족 일행 4명, 남송산업 직원 3명, 고민 13명등

o 8.17. 쿠웨이트거주 고민 제 1진 95명 요르단 도착
  - 일행중 중환자 입광웅씨 요르단 병원에 입원조치

0099

o 8.18. 쿠웨이트거주 고민 제 2진 120명 요르단 도착

o 8.18. 쿠웨이트 현대건설 근로자 제 1진 169명 이라크에 도착, 8.18. 21:30시 요르단 향발

- 차량 39대 분승

- 태국 근로자 686명 동행

o 8.18. 삼성의 아국근로자 15명 전세버스편으로 요르단 향발

- 태국 근로자 30명 동행

o 8.19. 쿠웨이트 현대건설 근로자 제 2진 105명 이라크에 도착, 8.19. 21:00시 요르단 향발

- 태국 근로자 460명 동행

o 8.19. 현대의 아국근로자 7명 영업용 버스편으로 요르단 향발

o 8.19. 한양의 아국근로자 16명 육로로 요르단 향발예정

o 8.19. 정우개발의 아국근로자 6명 요르단 향발예정

o 8.20. 현대건설의 아국근로자 5명 영업용 버스편으로 요르단 향발예정

o 8.21. 현대건설의 아국근로자 80여명 육로로 요르단 향발예정

※ 쿠웨이트 근무 아국근로자 1명 사망(8.15)

- 사 망 자 : 현대건설 소속 크레인 운전공 전종호

- 사 인 : 방공호 작업도중 흙더미에 묻힘

다. 고민 철수현황 통계(8.20. 06:00. 현재)

국 별	철 수 인 원	잔 류 인 원
이 라 크	100명	612명
쿠웨이트	509명	96명
계	609명	708명

0100

라. 대한항공 전세기 운항

° 8.21. 16:50시 전세기 1진(보잉 747기) 철수교민 378명 서울도착 예정

° 8.22. 06:20시 전세기 2진(DC-10기) 철수교민 272명 서울도착 예정

0101

외국인 철수동향

1. 이라크, 쿠웨이트내 잔류 외국인 현황

   ㅇ 이라크, 쿠웨이트내 약 50만명의 외국인 잔류 추정

   ㅇ 대부분이 아시아, 아랍계 노동자이며 서방 외국인현황은 아래와 같음

   - 미국 : 3,500명, 영국 : 5,000명, 독일 : 900명, 불란서 : 400명등

2. 각국 철수동향

   가. 철수현황

   ㅇ 8.11(토) : 미국공관원 11명, 일본 관광객 144명, 동독외교관 5명, 기타 비서구 외국인 요르단으로 철수(160명 내외)

   ㅇ 8.12(일) : 필리핀 83명, 유고 44명, 인도 22명, 파키스탄 20명, 칠레 22명, 브라질 16명, 터키 15명, 케냐 11명, 스리랑카 9명, 인도네시아 1명, 남아공 1명, 가나 1명, 폴랜드 1명, 아르헨티나 1명, 일본 1명등 요르단으로 철수(263명 내외)

   ㅇ 8.13(월) : 아랍인 3,000명, 필리핀인 49명, 인도인 15명, 폴랜드 13명등 요르단으로 철수(3,800명 내외)

   나. 각국동향

   ㅇ 일　본

   - 요르단을 통한 출국허가 요청
   - 이라크에 230여명, 쿠웨이트에 246명 잔류
   - 이라크 거주 일본 실업인 10명이 요르단 출국 시도하였으나 금지됨 (8.15)

   ㅇ 필 리 핀

   - 쿠웨이트내 자국민에게 식료품, 의약품 제공을 유엔에 요청

0102

o 태　　국

- 요르단을 경유한 근로자 철수에 이라크 동의

o 인　　도

- 자국인의 해로이용 철수를 위해 이라크 당국과 협의
- 쿠웨이트 거주 284명 요르단 경유

o 호　　주

- 자국민의 사우디, 바레인, 이라크, 쿠웨이트 여행연기 및 동 국가에 체류중인 불요불급 요원의 일시적 철수 권고조치 발표(8.9)
- 상기 대상국가에 UAE 및 카타르를 추가(8.16)

o 중　　국

- 수천명의 자국고민 철수 결정

o 소　　련

- 이라크, 쿠웨이트 거주 자국민 철수 준비중이라고 발표

o 폴 랜 드

- 443명 요르단 철수중이며 250명은 철수 대기
- 주폴랜드 이라크 대사는 이라크, 쿠웨이트내 폴랜드인의 출국을 보장하였다함

3. 특이동향

o 영국인 1명 쿠웨이트-사우디 국경에서 탈출시도중 이라크군에 의해 사살 (영국 외무부 확인)

o 8.10부터 이라크 정부는 아랍인, 아시아인, 아프리카인, 라틴아메리카인, 동유럽인들에게 출국제한을 완화하고 있으나 서구인과 미국인은 대상에서 제외

o 8.15. 외국인 3,600명이 요르단 경유 철수하였으나 미국인, 서유럽인, 일본인은 없었음

0103

o 이라크의 서방인들에 대한 강경조치(8.17)

- 이라크거주 일본인 278명에 대한 출국금지 조치
- 쿠웨이트내 미국인 35명 비밀장소로 강제이동, 인질화 우려
- 이라크, 쿠웨이트거주 소련인 8,000여명에 대한 출국제한 조치
  (부녀자, 어린이는 제외)

0104

駐쿠웨이트 大使舘 閉鎖 問題

1990. 8. 22.

外　　務　　部

0105

이라크의 쿠웨이트 駐在 外國 公館 閉鎖 通告에 對備, 아래와 같이 對處 方案을 報告드립니다.

問題의 提起

o 이라크 外務部, 쿠웨이트와 合倂을 理由로 쿠웨이트 駐在 外國 公館 業務를 駐이라크 大使館에 移管할 것을 要請(8.9자 회람 공한)

o 이라크 外務部는 다음과 같은 具體的 措置 豫定 通告

- 8.24 부로 大使館 閉鎖
- 外交官 및 外交織 以外의 公館 職員 全員 同日付로 쿠웨이트 退去
- 大使館 및 관저에 滯留를 禁하며, 同 財産은 武裝 警護 管理
- 이라크 政府 許可를 받아 바그다드 駐在 外交官을 派遣할시 公館, 관저 移管 可能하며 財産 및 僑民 保護에 임할수 있음.
- 쿠웨이트 駐在 外交官도 駐이라크 大使館 所屬으로 身分 變更 殘留 可能
- 이라크 外務部가 指定한 日時에 2개 公館이 1조로 武裝 案內를 받아 陸路便 요르단으로 出國

0106

檢討 事項

o 유엔 安保理 決議 662號는 쿠웨이트 合倂 無效 宣言과 間接的인 承認으로도 간주하는 모든 措置를 禁함.

o 유엔 安保理 決議 664號는 決議 662號를 再確認하고 公館 閉鎖 要求 및 外交官 特權 免除 中止 通告 取消 促求

o 쿠웨이트 駐在 65개 公館의 大多數가 이라크 措置를 拒否하고 계속 維持 表明

o 이라크측이 具體的인 閉鎖 節次를 提示하고 時限 延期를 拒否한 事實 등으로 미루어 보아 閉鎖를 強行할 것으로 展望됨.

o 現地 外交團 및 關係 政府간에 共同 對處 方案 協議

※ 各國 對應 態度 別添

o 그러나 軍事 占領下에서 現實的으로 閉鎖가 不可避할 境遇에 對備하여 各國간에 相異한 對應을 보임.

예) - 강제 閉鎖 措置시까지 維持(美國)

- 僑民 撤收후 暫定 閉鎖(日本)

- 強要 또는 事態 惡化시 撤收(ASEAN)

- 撤收 不可避時(이집트)

- 撤收 準備(스웨덴)

0107

美國의 要請(8.21)

- 公館 閉鎖 不應, 共同 對處
- 共同으로 抗議
- 強力한 反駁 聲明 發表

對處 方案 (案)

- 安保理 決議 尊重 및 美國 要請에 따라 8.24. 이후도 公館 維持
- 現在 쿠웨이트 僑民 撤收가 實質的으로 完了되었으므로 公館長 및 必須 要員(4명)만 殘留中

措置 事項

- 駐쿠웨이트 大使에게 指示 電報 發送(8.21)
  - 8.24. 以後에도 公館 存續
  - 外交團과 緊密 協調로 安全 確保
  - 이라크측이 物理的으로 退去시키는 事態 發生시 本部에 同 事實 緊急 報告
  - 公館 財産등 管理 위한 最善의 對策 講究후 本國 撤收

0108

o 駐美 大使에게 상기 事實 通報

- 美側 要請時 8.24. 이후 存續 方針 說明

o 撤收시 外務部 代辯人 聲明 發表

- 公館의 正常 業務 遂行 不可能으로 公館 臨時 閉鎖

- 公館 閉鎖는 事態 惡化에 따른 他意에 의한 措置로 關係 유엔 安保理 決議를 尊重하는 政府의 基本 立場에 變動이 없음을 분명히 함.

0109

첨 부 :

주쿠웨이트 주재 공관 철수 관련 대응 동향

(90. 8. 20. 현재)

구 분	국 가 명
1. 사태 추이 관망후 적절 대처	일본, 중국, 헝가리, 터키, 리비아, 이란, 스웨덴, 예멘 (8)
2. 공관 폐쇄 결정	브라질(잠정), 사우디, 수단 (3)
3. 자국민 안전 대피후 철수	말레이지아(1)
4. 강요 또는 사태 악화시 철수	이집트(1)
5. 철수 불고려	미국, 카나다, 영국, 프랑스, 서독, 이태리, 인도, 파키스탄 (8) ※ 미, EC 제국 : 공동 대응방안 모색중 ※ 인도, 파키스탄 : 자국민 보호 이유

中国

0110

報 告 畢

長官報告事項

1990. 8 . 23.
中東.아프리카局
中近東課(31)

題目 : 주 쿠웨이트 공관 폐쇄 문제

1. 현 황

- 쿠웨이트 주재 공관 65개중 8.23.현재 철수 공관은 15개국에 불과함.(별첨 참조)
- 8.24. 이후 교민 출국이 금지된 서방 선진국, 일본 및 중동아국 대부분이 잔류할 전망임. (동남아, 동구 및 북구 일부 국가 추가 철수 예상)
- 철수 국가는 주로 중립성향 국가들임.
- 현 단계에서 아국 공관이 철수할 경우 아국의 대서방 특히 대미 관계에 비추어 예외적인 경우로 보일 가능성이 농후함.
- 주 쿠웨이트 대사관은 대사 및 직원 3명과 잔류를 결정한 교민 9명임.

2. 이라크측의 예상 조치 (8.24. 24:00 이후)

- 외교 특권 불인정
- 외교관 차량 운행 금지
- 단전 단수
- 외교 통신 금지
- 출국 금지 가능성

0111

3. 이라크측 조치 거부 동향

- 유엔 안보리 결의 662 및 664호, 합병 무효 선언 및 공관 폐쇄 요구 거절
- 미국정부, 폐쇄 요구 거부 및 공관 지속 방침 성명(8.22. 국무부 대변인)
- 미국무부, 아국등 우방국 대표 조치 미측 성명에 동조하는 성명으로 공동 대처 입장 표명 요청(8.22)
- 주한 미 대사관, 아국 정부 성명 발표 요청 (8.22)
- EC, 공관 폐쇄 요구 거부 및 공관 지속 방침 성명(8.21)
- 서구동맹(WEU) 각료회의, 안보리 결의 664 준수 촉구

4. 검토 의견

- 유엔 안보리 결의, 미국 정부 요청, 서구제국 거부 입장 및 공동 대처 요청 으로 미루어 현 단계에서 아국 공관 철수는 문제점이 있음
- 이라크로서도 40여개 공관이 잔류할 경우 외교관의 기본적 신체자유 제약등 극단적 조치를 취하기는 어려울 것임
- 또한, 8.24. 시한 이후는 주요 공관간의 통신 및 교통이 불가능할 것으로 예상 되므로 공동 보조를 위한 현지 협조가 불가능할 것임
- 따라서 8.24 시한 이후 가능한 한 조속 안전하게 쿠웨이트를 출국하는 것이 공동 보조라는 명분과 불가항력에 의한 공관기능 중지라는 양면을 충족하는 방안임

0112

5. 지시사항(안)

가. 안보리 결의 664호와 우방의 강력한 여망에 비추어 볼때 8.24. 이전 철수는 이라크.미국과의 문제보다도 국제적 연대 노력에 동참하여야 한다는 점에서 적절치 못함.

나. 이라크 정부가 물리적으로 공관을 폐쇄할 경우에 적절히 대비하는 한편 미.일등 잔류 공관과 협조, 공동 대처하고 8.24. 경과후 공관장 판단으로 신변 안전상 계속 잔류가 불가능하게 되는 경우 본부 보고후 철수

0113

공 란

공 란

공 란

공 란

공 

공 란

공 란

공 란

공 란

공 란

공 란

공　　　란

공 란

공 란

공 란

공 란

공　란

참고사항 목록

1. 교민 철수 현황
2. KAL 운항 계획표
3. 공관 폐쇄 이라크 통고문 사본
4. 유엔 안보리 결의 662호 사본
5. 쿠웨이트 공관 폐쇄 동향 조사 지시
6. 동 관련 각국 입장
7. 아국 경제 제재 및 대책
8. 주요국 제재 현황
9. 아국과의 경제 관계 (원유.건설.상품)
10. 걸프지역 교민 현황
11. 원유 수급 대책

0131

1. 교민 철수 현황

가. 교민 현황 (8.17. 08:00 현재)

- ㅇ 이 라 크 : 총 673 명
- ㅇ 쿠웨이트 : 총 483 명
- ㅇ 총 계 : 1,156 명

나. 철수 현황 (8.16. 현재)

- ㅇ 이라크 교민 : 39 명
- ㅇ 쿠웨이트 교민 : 122 명
- ㅇ 총 계 : 161 명

구 분 국가별	이라크 교민	쿠웨이트 교민
ㅇ 요르단 국경 통과, 요르단 체류	25명 (8.13) (삼성종합건설 17명, 대한항공 및 가족 3명, 대우상사 및 가족 4명, 주 이라크 공관 고용원 1명) 3명 (8.14) (현대건설 소속 근로자) 11명 (8.15) (강남필터(주) 박관오 이사등)	2명 (8.10) (김옥구 및 처) . 제1진 95명 (8.16)
ㅇ 사우디 국경 통과 사우디 체류(현대건설 캠프 체류중)		20명 (8.14) (대한항공 4명, 남송산업 3명, 태권도 사범 1명, 개인사업 등 12명) ※ 이중 19명 8.20 KAL 편 귀국 예정
ㅇ 요르단 경유 귀국		5명 (8.17) (현대건설 소속 근로자)
계	39 명	122 명

※ 참 고 : 쿠웨이트 교민 제2진 105명 및 현대건설 소속 근로자 및 가족 275명 8.17-18 쿠웨이트 철수 예정

0132

FRM : 대한항공 영업계획부

JORDAN 특별 전세기 운항 계획

1 . 제 1 편

o 운항 일자/시간
- 서울 출발 : 8월 20일 06:00L
- 암만 도착/출발 : 8월 20일 14:00L/18:00L
- 서울 도착 : 8월 21일 16:50L

o 운항 구간 : 서울/(바레인)/암만/(바레인)/(방콕)/서울
* ( )는 기술 착륙지 임

o 운항 기종 : B747 (378석)

o 운항 스케쥴
- 서울발 0600L 바레인착/발 1015L/1135L 암만착 1400L
- 암만발 1800L 바레인착/발 2025L/2145L 방콕착/발 0835L/0940L+1 서울착 1650L+1

2 . 제 2 편

o 운항 일자/시간
- 서울 출발 : 8월 20일 22:00L
- 암만 도착/출발 : 8월 21일 06:00L/10:00L
- 서울 도착 : 8월 22일 06:20L

o 운항 구간 : 서울/(바레인)/암만 (왕복)

o 운항 기종 : DC10 (272석)

o 운항 스케쥴
- 서울발 2200L 바레인착/발 0215L/0335L+1 암만착 0600L+1
- 암만발 1000L 바레인착/발 1225L/1345L 서울착 0620L+1

3 . 참고 사항

o 8월 19일 서울발, 8월 20일 서울 도착하는 서울/바레인/제다(왕복) EXTRA는 상기 계획외에 추가 별도 운항

0133

<첨 부>

1. 이라크측 통고문

DIPLOMATIC NOTE NR. 101915 OF 9 AUGUST 1990

THE MINISTRY OF FOREIGN AFFAIRS PRESENTS ITS COMPLIMENTS TO THE DIPLOMATIC MISSIONS ACCREDITED TO IRAQ AND HAS THE HONOR TO REFER THAT AFTER THE TOTAL UNIFICATION BETWEEN IRAQ AND KUWAIT ON 8 AUGUST 1990, HAS THE HONOR TO ADVISE THAT DIPLOMATIC MISSIONS IN KUWAIT CITY HAVE NO OFFICIAL OBLIGATIONS WITH THE IRAQI GOVERNMENT, WHICH IS PRESENT IN THE CAPITAL, BAGHDAD.

REFERRING TO THE ABOVE, THE MINISTRY REGUESTS FROM THE GOVERNMENTS OF THE DIPLOMATIC MISSIONS ACCREDITED TO IRAQ TO TAKE THE NECESSARY ACTIONS TO SETTLE THEIR DIPLOMATIC MISSIONS AFFAIRS, WHICH ARE PRESENT IN KUWAIT CITY AND TRANSFER THEM TO THEIR DIPLOMATIC MISSIONS IN BAGHDAD NO LATER THAN 24 AUGUST 1990.

ON THIS OCCASION, THE MINISTRY WOULD LIKE TO POINT OUT THAT THE DIPLOMATIC MISSIONS AND CONSULATES OF THE PREVIOUS REGIME IN KUWAIT AND ALL THEIR RESPONSIBILITIES WHICH THEY USED TO CONDUCT HAVE NO OFFICIAL STATUS AND WOULD BE CONSIDERED NULL AND INELIGIBLE AS OF THE DATE OF THE UNIFICATION ANNOUNCEMENT.

0134

2. 유엔 안보리 결의안 662호

~~DRAFT~~ RESOLUTION

THE SECURITY COUNCIL,

RECALLING ITS RESOLUTIONS 660(1990) AND 661(1990)

GRAVELY ALARMED BY THE DECLARATION BY IRAQ OF A "COMPREHENSIVE AND ETERNAL MERGER" WITH KUWAIT,

DEMANDING, ONCE AGAIN, THAT IRAQ WITHDRAW IMMEDIATELY AND UNCONDITIONALLY ALL ITS FORCES TO THE POSITIONS IN WHICH THEY WERE LOCATED ON 1 AUGUST 1990,

DETERMINED TO BRING THE OCCUPATION OF KUWAIT BY IRAQ TO AN END AND TO RESTORE THE SOVEREIGNTY, INDEPENDENCE AND TERRITORIAL INTEGRITY OF KUWAIT,

DETERMINED ALSO TO RESTORE THE AUTHORITY OF THE LEGITIMATE GOVERNMENT OF KUWAIT,

1. DECIDES THAT ANNEXATION OF KUWAIT BY IRAQ UNDER ANY FORM AND WHATEVER PRETEXT HAS NO LEGAL VALIDITY, AND IS CONSIDERED NULL AND VOID;

2. CALLS UPON ALL STATES, INTERNATIONAL ORGANIZATIONS, AND SPECIALIZED AGENCIES NOT TO RECOGNIZE THAT ANNEXATION, AND TO REF RAIN FROM ANY ACTION OR DEALING THAT MIGHT BE INTERPRETED AS AN INDIRECT RECOGNITION OF THE ANNEXATION;

3. FURTHER DEMANDS THAT IRAQ RESCIND ITS ACTIONS PURPORTING TO ANNEX KUWAIT;

4. DECIDES TO KEEP THIS ITEM ON ITS AGENDA AND TO CONTINUE ITS EFFORTS TO PUT AN EARLY END TO THE OCCUPATION.

0135

관리 번호	90/946

분류번호	보존기간

발 신 전 보

번 호 : WUS-2708 외 별지참조 종별 : 지급

수 신 : 주 수신처 참조 대사. ~~총영사~~

발 신 : 장 관 (중근동)

제 목 : 쿠웨이트 주재 외고공관 철수문제

이라크 외무성은 8.9자 공한을 통해 쿠웨이트와 합병을 이유로 쿠웨이트 주재 외고공관을 8.24.부로 폐쇄, 공관업무를 주이라크대사관에 이관할것을 요청하고 구체적인 폐쇄 및 철수 호송방안까지 제시하여 왔음. 아국을 비롯한 쿠웨이트에 공관을 주재시킨 국가가 대부분 합병을 무효로 선언하고 공관폐쇄 요구를 묵살한다는 방침이기는하나 시한이 임박함에 따라 구체적인 행동방침을 결정해야할 단계임. 8.24. 이라크측이 당초 통고대로 공관 강제폐쇄 조치를 취할 경우의 구체적인 현지 행동지침, 철수후의 교민보호대책, 기타 관련된 귀주재국 동향을 책임있는 인사로 부터 파악 지급 보고바람.

수신처 : 주 미, 영, 불, 서독, 카나다, 스웨덴, 이태리, 헝가리, 인도, 일본, 말레이지아, 호주, 파키스탄, 터어키, 브라질, 수단, 모로코, ~~요르단~~, 오만, 예멘, 이란, 나이지리아, 알제리, 리비아, 사우디, ~~바레인~~ 대사 ~~주 요르단 임시처~~, 주 카이로 총영사. 끝.

예고 : 90.12.31. 일반.

(중동아국장 이 두 복)

보안 통제	

앙 고 재	90년 8월 16일	중근동과	기안자 성명: 박규옥		과 장	심의관	국 장		차 관	장 관
							후결			

외신과통제

0136

<별 첨>

각 국 입 장(종합)

o 미 국 :

- 안보리 결의에 따라, 쿠웨이트 합병은 무효이며, 이라크 정부가 쿠웨이트내 미국 외교관에 대한 국제법상 보호 의무를 지니고 있음
- 현 단계에서 이라크 정부가 강제로 이전 조치를 취하지 않는한 자국 공관 계속 유지 방침

o 일 본 :

- 쿠웨이트 합병은 국제법 위반으로 무효이므로 동 선언은 수락할수 없음
- 그러나 쿠웨이트가 현재 이라크의 점령 상태하에 있음을 감안, 미, EC와 협의를 거쳐 현실적 대응 방안도 검토 예정 (예 : 쿠웨이트 주재 교민 철수후 공관 일시 폐쇄 내지 철수 방안 고려)
- 공관 이전 시한인 8.24까지 아직 시간적 여유가 있으므로 유엔 및 서방국가간 대응 방안을 계속 협의해 나갈 것임

o 동남아시아제국 ("ASEAN"의 비공식 입장) :

- 공관의 바그다드 이전은 쿠웨이트 합병 승인을 의미하므로 이를 거부, 공관 계속 유지
- 이라크가 이를 강요 또는 사태 악화시 공관 철수 고려

o 사 우 디 :

- 이라크의 공관 폐쇄 및 이전 요청 거부
- 쿠웨이트 주재 자국 외교관은 모두 철수하였음(현지직원 1명만 체류)

o 이 집 트 :

- 쿠웨이트 합병 불인정 및 쿠웨이트 구 왕정 복구 지지
- 그러나 이라크측의 공관 폐쇄 강요시 쿠웨이트로 부터의 철수는 불가피할 것임

o 스 웨 덴 :

- 쿠웨이트 주재 자국 대사관의 바그다드로의 철수 검토

o E C :

- 쿠웨이트 합병 선언과 쿠웨이트 주재 공관의 폐쇄 및 바그다드로의 이전 요청은 불법으로서 무효임

0137

2. 아국의 대이라크 경제 제재 조치 및 대책

가. 경 위

- ㅇ 유엔 안보리, 대이라크 경제 제재 조치 결의(8.6)
  - \- 대이라크 모든 상품 수출입금지, 신규 투자 금지, 금융 자산 유입 금지등
  - \- 유엔 사무총장, 아국에게 동참 요청(8.8)
- ㅇ 미 솔로몬 차관보, 아국에 경제 제재 동참 요청(8.8)
- ㅇ 전 세계적으로 제재 분위기 형성
- ㅇ 총리 주재 관계 부처 회의 개최, 경제 제재 조치 결정(8.9)

나. 아국의 결정 내용

- ㅇ 이라크 및 쿠웨이트 자산 동결
- ㅇ 이라크 및 쿠웨이트로부터 원유 수입 금지
- ㅇ 신규 건설 수주 금지
- ㅇ 무기, 군수물자, 상품(의약품등 인도적 물품 제외)등 수출 금지

다. 대 책

1) 원유 도입 금지

ㅇ 원유 도입 현황

국 명	도입량(천B/D)	전체도입량중 비중
이 라 크	39	4.2%
쿠웨이트	70	7.6%
(중립지대)	(37)	(4.0%)
(중립지대 포함)	109(146)	11.8%(15.8%)

0138

o 문제점

- 기도입 원유에 대한 결재 문제
  · 사태 발생전 선적되어 현재 아국으로 운송중인 원유의 처리 문제
  · 이라크, 쿠웨이트와 체결한 장기 도입 계약 불이행과 관련한 문제(이라크 2만, 쿠웨이트 5.5만 B/D)

o 대 책

- 수입 중단으로 인한 부족분은 국내 비축 물량(약 4천만 배럴, 민간 부분 제외)으로 50일 이상 공급 가능(89년말 내수 기준)
- 해외 유전(북예멘, 이집트등) 개발, 정책 원유(리비아, 멕시코등) 도입, 현물 시장에서의 구매
- 기타 도입선(이란등) 확보 교섭
  ※ 이란 석유장관 양국간의 우호 관계를 고려 원유 공급에 협조 의사 표시
- 주요 산유국 주재 공관에 원유 시장 동향 파악 지시 대책 수립 준비

2) 건설 수주 금지

o 현 황

- 이라크
  ※ 진출업체 : 7개사(현대,삼성,정우,한양,대림,남광,동아)
  총수주액 : 71건 64억 4천만불
  시 공 액 : 5건 12억 8백만불
  시공잔액 : 7억 7천 6백만불
  미 수 금 : 9억 2천 7백만불(기성미수 3천2백만불, 유보금 1억2천5백만불, 어음 6억2백만불, 원유 1억6천8백만불)

0139

- 쿠웨이트

※ 진출업체 : 3개사(현대, 대림, 효성)

종수주액 : 128건 29억 5천 5백만불

시 공 액 : 4건 2억 1천 1백만불

시공잔액 : 8천 2백만불

미 수 금 : 6천 5백만불(기성미수 3천2백만불, 유보금 3천 3백만불)

ㅇ 문 제 점

- 아국의 경제 제재 조치 참가 여부와는 관계없이 사태 발발로 공사 수행과 미수금 수령에 있어 문제가 있음.
- 진행중인 공사 중단에 따른 손해와 계약 불이행에 따른 문제가 발생함.

ㅇ 대 책

- 철수시 공사 재개에 대비 발주처 감독과 협의, 불가항력의 사정임을 정식 문서(letter)로 남기도록 함.
- 잔류 필수 요원은 발주처 당국과 계속 접촉코 관계 유지

3) 일반 상품 교역 금지

ㅇ 교 역

(아국 기준, 천불)

년도 국별	89년		90년(1-6월)	
	수 출	수 입	수 출	수 입
이 라 크	67,196	63,958	82,481	123,324
쿠웨이트	210,085	381,733	98,757	355,291

0140

o 문 제 점

- 교역 금지로 인한 관련 업체의 대정부 보상 요구
  - 상품을 선적하였으나 외국 은행이 대금 결재를 거부시
  - 상품이 선적되었으나 국내 은행의 Nego 중단의 경우
  - 주문품에 대한 생산 중단 경우
- 수출입 은행 보험부보 부분에 대한 보험금 지급
- 교역 금지로 인한 아국 수출 차질 및 법적 손실액 파악 및 지원 문제

o 대 책

- 시간을 갖고 상세 현황을 파악 대책 수립
- 기계약분 수출 불능 관련 정부 보상 문제는 외국 예를 참조 처리

4) 국내 이라크 및 쿠웨이트 자산 동결

o 현 황

- 이 라 크 - 아국내 자산 없음
- 쿠웨이트 - 민간 자산 약 18백만불

o 문 제 점

- 이라크 및 쿠웨이트의 정부 재산이 없으므로 문제점 별무
- 미지불 원유 대금의 국고 귀속 조치 여부

0141

참고 자료(각국 제재 현황)

1. 미　국(8.2)

- ㅇ 미국내 모든 이라크 및 쿠웨이트 자산 동결
- ㅇ 대이라크 및 쿠웨이트 교역 금지
- ㅇ 사우디, 터어키에 동국 통과 이라크 송유관 폐쇄 요청
- ※ 이라크 및 쿠웨이트 체류 미국인 4,000명

2. E C(8.4)

- ㅇ 대이라크 및 쿠웨이트 원유 수입 금지
- ㅇ 회원국내 이라크 자산 동결
- ㅇ 대이라크 무기 및 기타 군사 장비 판매 금지 및 군사 협력 중지
- ㅇ 대이라크 과학 기술 협력 및 GSP 부여 중지
- ※ 쿠웨이트 체류 영국인 3,000명, 이라크의 대프랑스 채무 50억불

3. 일　본 (8.5)

- ㅇ 국내 이라크 및 쿠웨이트 자산 동결 및 자본거래 금지
- ㅇ 대이라크 및 쿠웨이트 원유 도입 중단 및 수출 금지
- ㅇ 대이라크 경제 협력 정지(엔 차관 동결)
- ※ 일본의 전체 원유 도입중 이라크산 8%, 쿠웨이트산 5.9% 차지

4. 소련 및 중국

- ㅇ 대이라크 무기 판매 중지

0142

2. 我國과의 關係

가. 原油 導入 現況

(90年 上半期中)

國 名	導入量(천B/D)	全體導入量中 比重
이 라 크	39	4.2%
쿠웨이트	70	7.6%
計	109	11.8%

나. 建設 進出 現況

(이 라 크)　　(百萬弗)

區 分	工 事 名	契約金額	施工 額	人力(名)	裝備(대)
현 대	701 수리조선소 키르쿡 상수도	754 103	754 1.3	177 95	- 85
삼 성	바그다드 - 아브그래이브 도로	204	18	64	285
정 우	이라크철도 공사 제4비료공장	101 46	0.7 1.5	11 14	31 42
기 타	-	-	-	267	873
합 계		1,208	775.5	628	1,316

* 701 수리 造船所 工事는 當今 未着工

(쿠웨이트)

(百萬弗)

區 分	工 事 名	契約金額	施工 額	人力(名)	裝備(대)
현 대	수비야 송전선 제1순환도로 미르칼진입로 에가일라 저수조 기 타	86 34 46 45 -	7.8 8.3 24.3 41.5 -	73 52 94 62 29	125 86 166 57 38
기 타	-	-	-	3	-
합 계		211	81.9	313	472

다. 상품 교역 현황

(我國基準, 千弗)

	89 年		90 年 (1-6月)	
	輸 出	輸 入	輸 出	輸 入
이 라 크	67,196	63,958	82,481	123,324
쿠웨이트	210,085	381,733	98,757	355,291

3. 隣接國 滯留 僑民 및 外國人 滯留 現況

가. 隣接國 滯留 我國僑民 現況

- o 사 우 디 : 6,091 名
- o 바 레 인 : 498 名
- o U. A. E. : 829 名
- o 카 타 르 : 88 名
- o 요 르 단 : 122 名
- o 터 어 키 : 196 名
- o 이 란 : 950 名

나. 主要 各國의 이라크 및 쿠웨이트 滯留 僑民 現況

- o 미 국 : 4,000 名
- o 영 국 : 4,000 名
- o 프 랑 스 : 450 名 (이라크 200, 쿠웨이트 250)
- o 스 웨 덴 : 165 名
- o 이 태 리 : 440 名 (이라크 300, 쿠웨이트 140)
- o 일 본 : 670 名 (이라크 400, 쿠웨이트 270)
- o 서 독 : 900 名 (이라크 600, 쿠웨이트 300)
- o 인 도 : 150,000 名
- o 파 키 스 탄 : 102,000 名 (이라크 10,000, 쿠웨이트 92,000)
- o 이 집 트 : 1,120,000 名 (이라크 1,000,000, 쿠웨이트 120,000)

※ 소 련 : 이라크내 8,000 名

이라크·쿠웨이트 事態에 따른 原油需給 對策

1. 現況

(90年 上半期中)

國 名	導入量 (千B/D)	全體導入量中 比重
이 라 크	39	4.2%
쿠웨이트	70	7.6%
計	109	11.8%

※ 90년 上半期中 全體導入量 928천 B/D

2. 問題點

o 이라크, 쿠웨이트로부터의 長期 導入契約 物量 供給 中斷에 따른 不足分 確保 問題

- 이라크 20千, 쿠웨이트 55千 B/D

o 事態發生前 船積되어 현재 아국으로 運送中인 原油 (쿠웨이트산 30만베럴) 處理 問題

※ 美國은 8.2以前 船積, 10.1 以前 美國 到着分 輸入은 許可하나 해당 原油代金은 美國內 凍結口座에 預置

o 旣導入 原油에 대한 代金 決濟 問題

- 쿠웨이트 國營原油會社側, 英國政府의 承認을 받았다면서 旣輸入 原油 代金 63백만불을 런던소재 英國銀行에 開設된 口座에 入金 要請

0146

3. 我國에 대한 影響

- o 短期的으로는 政府備蓄物量, 精油社 在庫, 現物市場 確保등으로 需給對處 可能
  - 政府備蓄量 : 약 4천만배럴
  - 精油社 在庫量 : 약 3천5백만배럴
  - 現在 輸送中 物量 : 약 2천만배럴
    - ※ 國內 一日 平均消費量 (848천 B/D)을 감안할 시 아국 全體導入物量 3개월이상 充當 可能
    - ※ 이라크・쿠웨이트로부터의 導入 物量을 政府備蓄物量으로 1년이상 供給 가능
- o 금번사태로 國際 油價가 引上되더라도 石油事業基金 (1조6천억원) 및 關稅率 (10%) 조정등을 통해 年內 國內 原油 引上없이 對處 가능
- o 그러나 事態가 隣近地域으로 擴散될 경우, 原油需給蹉跌 및 油價急騰으로 인한 經濟에 대한 심각한 打擊 불가피

4. 對策

- o 우선 이라크・쿠웨이트産 原油導入 不足物量 (長期契約分 75천B/D)의 代替 確保에 努力을 경주하고, 政府備蓄物量 (약 4천만배럴)의 放出時期 및 放出量은 國際有價시세 및 原油需給推移에 따라 決定
  - 旣 開發 海外油田 原油導入 : 24,500B/D
    - ・ 북예멘 마리브 21,500B/D, 이집트 칼다 3,000B/D
  - 政策原油 早期導入推進 : 25,000B/D (리비아 15,000B/D, 멕시코 10,000B/D)
  - 여타 産油國으로부터의 追加導入 摸索
    - ・ 이란 石油長官, 我國의 이라크, 쿠웨이트에서 供給받아왔던 物量을 이란이 供給할 수 있다는 용의 표명 (8.11)

0147

o 事態發生前, 旣船積原油 (쿠웨이트)에 대한 代金決濟

- 英國內 쿠웨이트 國營原油會社 支社에 支拂, 英國 에서 海外流出을 凍結토록 대처하는 方案도 考慮할 수 있으나, 쿠웨이트 國營石油會社 本社側과 接觸이 안되고 실제 英國 支社의 代表性이 확인되지 않는 現狀況에서 사태를 일단 觀望

  · 아국의 對이라크 經濟制裁措置속에 外換去來 中止措置 不包含
  · UN 決議에 쿠웨이트 前政府所有 財産의 適切한 保護措置 包含

o 아국 經濟制裁措置 發表前 船積, 輸送中인 原油導入은 容認

o 事態長期化에 대비한 對策 講究

- 에너지 消費節約
- 原油導入線 多邊化 : 현재 중동지역으로부터 75% 이상 도입
- 長期契約 導入擴大 : 현 총도입물량의 60% 수준에서 70% 수준으로 확대
- 原油 및 가스開發 參與 擴大
- 備蓄物量 擴大
- 代替 에너지 開發등을 통한 石油依存度 緩和

5. 當付措置事項

o 주요 先進國 및 産油國 駐在 公館에 이라크, 쿠웨이트 事態 관련, 原油需給 및 油價展望등에 대한 報告 指示 (8.7)

o 原油安定 確保를 위한 對 産油國 外交活動 강화 지시 (8.13)

- 長期 契約 物量의 정상적 供給 및 增量供給 고섭 지인

0148

6. 國際 原油需給 및 油價展望

가. 原油需給 展望

o 사태가 隣近地域으로 확산되어 廣域化되지 않는 한, 世界 原油在庫量, 각국 備蓄物量, 여타 産油國의 增産 가능성등 고려시, 短期的으로 이라크·쿠웨이트산 原油供給 中斷 (약 450만B/D, 자유 世界 供給量의 약 10%)으로 인하여 世界 原油需給에 蹉跌이 없을 것으로 전망

- 世界 原油 在庫量 : 1.8억배럴
- 西方先進國 備蓄量 : 약 1백일분
- 여타 産油國의 增産 可能量 : 약 350만B/D
  - · 사우디(200만),베네주엘라(50만),UAE(40-50만),나이지리아(20-30만),등

나. 油價展望

o 現物市場 變動推移

	8.1	8.2	8.3	8.6	8.7	8.8	8.9	8.10	8.13	8.14
Dubai유	18.27	19.45	19.80	23.70	25.40	22.00	21.92	22.72	24.00	
Brent유	20.58	22.20	22.75	27.75	29.40	25.85	25.84	25.70	26.77	

※ 事態發生前일인 8.1 가격에 비해 Dubai유의 경우 불, Brent유의 경우 불 인상

o 展望

- 이라크의 쿠웨이트 侵攻후 몇일간 現物市場에서의 原油價 急騰 현상은 原油供給의 不足보다는 全般的인 불확실에 대한 心理的 영향에 기인
- 향후 油價는 Gulf만의 政治 狀況이 악화되지 않는한, 安定勢를 回復할 것이며, 油價 上昇幅은 여타 産油國의 增産與否 및 消費國들의 對應推移에 따라 決定될 것으로 展望 (21-23弗線 豫想)

0149

공　　란

공　　　　란

관계 부처 대책 회의

1. 일 시 : 90. 8. 24(금) 16:00
2. 장 소 : 정부 제1청사 817호
3. 안 건 : 교민 철수 대책
4. 참석대상

o 주 재 : 외무부 대책반장 권 병 현

o 참석자 : 외무부 중동아프리카국장 이 두 복

외무부 중동아국 심의관 양 태 규

외무부 여권관리관 박 태 희

보사부 사회국장 최 선 정

건설부 해외협력관 강 길 부

노동부 해외지도과장 김 완 숙

재무부 외환정책과장 한 택 수

교통부 국제항공과장 김 세 찬

문교부 교육행정과장 이 태 우

기획원 협력정책과사무관 홍 남 기

대한항공 부장 한 영 식

적십자사 사회봉사부장 윤 석 인

0152

걸프 事態 關聯 關係長官 會議資料

1990. 8. 25.

外 務 部

0153

1. 情勢 展望

o 全世界가 걸프 地域에 軍事 衝突이 臨迫한 것으로 憂慮하는 가운데
- 이라크가 최정예 친위 師團을 戰線에서 撤收시키고,
- 쿠웨이트內 外國 公館 撤收 時限인 8.24. 子正을 일단 무사히 넘기므로써
- 긴박한 事態는 고비를 넘긴 것으로 보임.

o 事態가 勃發후 20여일이 지난 時點에서 綜合的인 評價는
- 이라크가 西方의 強力하고 迅速한 對應과
- 특히, 蘇聯이 美國과 協調하고 大多數 아랍 國家가 이라크를 糾彈하는등
- 國際的 雰圍氣를 잘못 判斷하므로서
- 수세에 몰리고 있는 것으로 볼수 있음.

o 西方側으로서는 이번 事態의 再發 可能性을 徹底히 封鎖한다는 見地에서
- 이라크의 經濟 封鎖를 위한 軍事 壓迫을 加重하기 위하여
- 可能한한 많은 國家의 積極 同參을 促求하고
- 유엔 憲章에 따른 軍事 行動圈 確保에도 盡力하고 있음.

o 이라크는 여러 차례에 걸친 協商 提議를 拒絶당한 가운데
- 유엔 사무총장 特使가 이라크를 訪問, 人質 釋放을 交涉中이며

0154

- 蘇聯, PLO, 예멘등이 平和 協商 努力을 進行中인 것으로 알려지고 있어
- 事態를 外交的으로 解決하려는 兆朕이 보이고 있음.

o 現 狀況下에서 偶發的인 事件으로 衝突이 일어나지 않는한,
- 中東 事態는 國際 社會의 새로운 連帶 意識을 基礎로
- 脫冷戰 時代의 새로운 秩序를 確立하는 契機로 될 수도 있을 것임.

2. 僑民 安全 對策

가. 基本 方針

o 이라크 및 쿠웨이트 체류 우리나라 僑民의 身邊 安全을 최우선으로,
- 可能한 한 全僑民의 迅速한 撤收 原則下에,
- 최소한의 必須 要員을 除外한 僑民의 段階的 撤收임.

o 撤收 計劃은 現地 公館의 非常 撤收 計劃과 連繫하여 綜合 撤收하는 方針이며

나. 撤收 現況

o 8.2. 이라크가 쿠웨이트를 侵攻하던 당시,
- 兩 地域에 居住하고 있던 我國 僑民數는 총 1,317명으로
- 이라크에 712명, 쿠웨이트에 605명이었으나

0155

- 駐이라크, 쿠웨이트 및 요르단 公館의 努力과 關係 部處 및 關聯 業體의 協調로,
- 8월 24일 現在 殘留 僑民은 쿠웨이트에 13명, 이라크 482명으로 총계 495명임

ㅇ 現在 쿠웨이트 殘留 僑民은 公館員을 包含 13명인바,
  - 쿠웨이트 僑民은 撤收가 完了 되었다고 말씀 드릴수 있으며,
  - 쿠웨이트 殘留 僑民은 公館의 撤收 勸誘에도 不拘 殘留를 希望하는 분들임을 참고로 말씀 드림.

ㅇ 이라크에 있는 482명의 僑民도 早速 撤收하는 것이 좋겠다는 立場이나
  - 대부분이 我國 建設業體 所屬 勤勞者로서,
  - 이라크 發注處의 承認과 出國 許可를 받아야 하는바,
  - 出國 査證 發給 遲延등으로 迅速히 實施되지 못하고 있으나,
  - 公館과 業體가 緊密히 協調하여 迅速한 撤收에 最善을 다하고 있음.

다. 對　策

ㅇ 現在 요르단 國境이 暫定 閉鎖되어 外國人의 撤收가 中斷 狀態이나
  - 再開되는 即時 僑民 撤收 可能토록,
  - 出國 許可등 萬全의 準備를 할 것이며,

0156

o 現地에서 非常 連絡网을 維持, 자체 警備 強化 및 安全 措置를 講究하고

o 燃料, 食糧등 備蓄으로 큰 어려움은 없을 것으로 보이나,

- 必要時, 非常 食品등을 公館에서 支援토록 措置 예정임.

o 必要時 KAL 特別機 追加 投入

- 一括 撤收 豫定

o 關聯 部處와 緊密히 協調·

- 僑民 安全 및 撤收에 萬全을 기할 것임.

0157

報告畢

長官報告事項

1990. 8 . 26 .
中東.아프리카局
중 근 동 課(29)

題 目 : 주 쿠웨이트 대사관 동향보고

> 이라크 정부의 8.24.한 쿠웨이트주재 전외국공관 폐쇄 요청과 관련, 주 쿠웨이트 아국공관원의 주요동향을 아래와 같이 보고드립니다.

1. 주요상황

- ㅇ 이라크 정부는 8.24. 자정까지 쿠웨이트 주재 모든 외국공관을 폐쇄 하여줄것을 요청
- ㅇ 이라크 정부는 8.25. 08:30 까지 공관 폐쇄시한을 연장
- ㅇ 8.25. 현재 64개 주재공관중 17개 공관이 철수결정, 47개공관은 잔류 중임.
- ㅇ 이라크는 폐쇄명령을 무시한 외국공관들에 대하여 간헐적으로 단수, 단전조치
- ㅇ 연이나 이라크는 폐쇄시한 이후 특별한 군사적 조치를 취하지 않았음.
- ㅇ 이라크 공보장관은 8.25. "외국공관 폐쇄명령을 무시한 외교관에 대해 무력을 사용하지 않을 것이나 외교관 특권 및 제반편의 제공은 받지 못할것"이라고 언급

0158

2. 아국공관 동향

- o 잔류공관원은 8.24. 19:30 (19:20까지 교신)이후 공관에서 통신장비의 주요부품을 탈거, 관저로 이동. 8.25. 07:00 대사관에 출근, 주 이라크 대사관과 교신키로 함.
- o 주 이라크 대사관은 8.25. 07:00 주 쿠웨이트 대사관과 교신 시도 하였으나 실패, 계속 호출시도중임.
- o 주 이라크 대사는 주 쿠웨이트 대사관과의 교신불능 원인을 대사관의 단전또는 출입저지로 추정

3. 조치사항

- o 주한 미국, 영국, 독일대사관 및 주미대사에게 주쿠웨이트 공관원 소재파악 협조요청하였으며 관계 대사관은 연락되는대로 아측에 통보 하여 주기로 약속
  - 주 이라크 대사는 주쿠웨이트 일본, 파키스탄 대사관도 자국과 교신이 두절되고 있으며 시내통화도 소통이 어렵다 함.

0159

장관님 정례기자 간담회 자료

8. 27.(월) 10:00

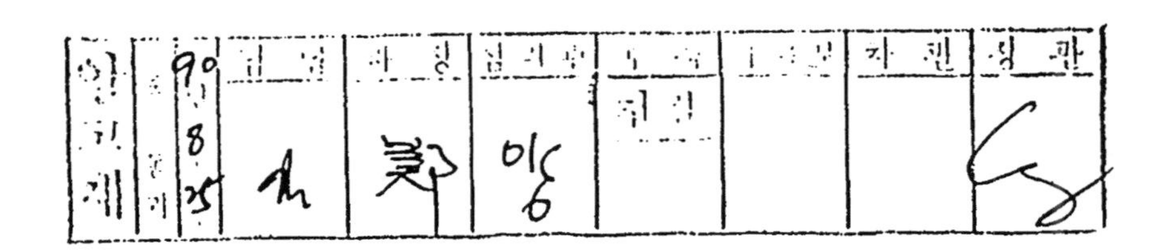

외 무 부

0160

長官님 定例記者 懇談會 資料

8. 27.(月) 10:00

外 務 部

0161

目 次

0162

1. 事 態 展 望

가. 現　　況

o 유엔 安保理는 8月 25日 665號를 決議

- 經濟 制裁 措置 履行을 위한,
- 걸프만 出入 船舶을 停船시켜, 國籍, 貨物目的地등을 確認 하는데 필요한 最小한의 武力을 使用할수 있도록 承認함 (찬성 13, 기권 2 (쿠바, 예멘)

o 데 케야르 유엔 事務總長 仲裁 用意 表明 (8.25)

- 케야르 유엔 事務總長은 타리크 아지즈 이라크 外務長官에게 來週中 제네바 또는 뉴욕에서 會談 開催 提議
- 후세인 大統領은 同 提議를 歡迎
- 美國도 동 회담을 반대하지 않겠다는 반응

o 후세인 이라크 大統領은 발트하임 오스트리아 大統領에게 仲裁를 要請 (8.25)

※ 參考 : 이라크를 방문한 발트하임 오지리 대통령은 "사담 후세인이 현재 위기를 협상을 통해 해결 하려는 자세를 보이고 있다" 고 말함

o 이라크는 쿠웨이트 合併 以後

- 모든 外國公館이 8.24 까지 閉鎖할것을 要請
- 外交官 特權 喪失 및 外國 公館에 대한 武力 不使用 方針 表明 (8.24. 공보장관)

0163

나. 展 望

o 全世界가 걸프 地域에 軍事 衝突이 臨迫한 것으로 憂慮하는 가운데,
  - 쿠웨이트내 外國 公館 撤收 時限인 8월 24일을 無事히 넘기므로서
  - 緊迫한 事態는 일단 고비를 넘긴 것으로 보이나

o 西方 公館에 대한 이라크의 强制力 행사 與否 및 海上 封鎖 措置에 대한 美 軍事 行動등이 將次 동 事態 進展에 큰 變數가 될 것임

o 事態 勃發後 20여일이 지난 시점에서 綜合的인 評價는
  - 이라크가 西方의 强力하고 迅速한 對應 및
  - 특히, 蘇聯이 美國과 協助하고 大多數 아랍 國家가 이라크를 批判하는등 國際 情勢를 誤判 하므로써
  - 守勢에 몰리고 있는 것으로 볼수 있음

o 西方側으로서는 이번 事態의 再發 可能性을 徹底히 封鎖 한다는 見地에서
  - 이라크의 經濟 封鎖를 위한 軍事 壓迫을 加重하기 위하여
  - 可能한한 많은 國家의 積極的인 同參을 促求하고,
  - 유엔 憲章에 따른 軍事 行動權 確保를 한 것으로 봄

o 이라크는 여러차례에 걸친 協商 提議를 拒絶당한 가운데에도
  - 데 케야르 유엔 事務總長의 仲裁를 歡迎하는등
  - 事態를 外交的으로 解決하려는 兆朕도 보이고 있음

0164

o 同 事態가 美國이 追求하는 國際 輿論의 힘에 의하여 解決될 경우

- 中東 事態는 國際 社會의 새로운 連帶 意識을 基礎로
- 脫 冷戰 時代의 새로운 國際 秩序를 確立하는 契機가 될수도 있을 것임

2. 우리나라 軍事 制裁 參與 可能性

立　場

o 우리 政府는 외부로 부터 軍事支援 要請을 받은바 없으며, 韓半島의 對峙 狀態가 繼續되고 있는점에 비추어 對 이라크 軍事 制裁를 위하여 直接的인 軍事的 支援이나 參與를 할수있는 立場은 아니라고 생각함

o 왜냐하면 무엇보다도 먼저 韓半島의 平和와 安全 保障이 더 時急한 課題이기 때문임

o 그러나 이라크가 쿠웨이트를 武力 侵攻, 合倂한 것은 理由야 여하튼 正當化 될수는 없다고 보며,

o 앞으로도 어떠한 國家이든 한 國家가 他國을 武力으로 占領하는 것은 容認될수 없다고 보며, 혹, 國際 情勢를 誤判하여 武力 挑發을 恣行하는 國家에 대하여는 世界 平和와 國際秩序를 위하여 반드시 國際的인 膺懲이 있어야 된다고 봄

o 더우기 우리는 6.25. 武力 南侵時 유엔의 支援을 받았던 經驗이 있는만큼 우리가 受容할수 있는 範圍 내에서는 世界 平和를 위하여 유엔의 決議를 最大한 尊重, 非軍事的인 方法에는 가능한 寄與를 해야 될 것으로 봄

0165

o 따라서 政府는 유엔 決議案을 尊重 對 이라크 經濟 制裁 措置에 同參한바 있으며, 이를 誠實히 履行하고 있음

o 우리의 基本 立場은 걸프 事態가 武力이 아닌 平和的인 方法으로 早速히 解決되기를 希望함

3. 僑民 撤收 및 安全 對策

가. 基本 方針

o 이라크 및 쿠웨이트 체류 우리나라 僑民의 身邊 安全을 최우선으로,
  - 可能한 한 全僑民의 迅速한 撤收 原則下에,
  - 최소한의 必須 要員을 除外한 僑民의 段階的 撤收임

o 撤收 計劃은 現地 公館의 非常 撤收 計劃과 連繫하여 綜合 撤收하는 方針이며

나. 撤收 現況

o 8.2. 이라크가 쿠웨이트를 侵攻하던 당시,
  - 兩 地域에 居住하고 있던 我國 僑民數는 총 1,317명으로
  - 이라크에 712명, 쿠웨이트에 605명이었으나
  - 駐이라크, 쿠웨이트 및 요르단 公館의 努力과 關係 部處 및 關係 業體의 協助로,
  - 8月 27日 現在 殘留 僑民은 쿠웨이트에 13名, 이라크 418名으로 총계 431명임

0166

o 現在 쿠웨이트 滯留 僑民은 公館員을 包含 13名인바,

- 쿠웨이트 僑民은 撤收가 完了 되었다고 말씀 드릴수 있으며,
- 쿠웨이트 殘留 僑民은 公館의 撤收 勸誘에도 불구, 殘留를 希望하는 분들임을 참고로 말씀 드림

o 이라크에 있는 418명의 僑民도 早速 撤收하는 것이 좋겠다는 立場이나

- 대부분이 我國 建設業體 소속 勤勞者로서,
- 이라크 발주처의 承認과 出國 許可를 받아야 하는바,
- 出國 査證 發給 遲延등으로 迅速히 實施되지 못하고 있으나,
- 公館과 業體가 緊密히 協助하여 迅速한 撤收에 最善을 다하고 있음

다. 對 策

o 暫定 閉鎖되었던 요르단 國境이 再開됨에 따라

- 나머지 僑民도 撤收 可能토록,
- 出國 許可등 萬全의 準備를 할 것이며,

o 現地에서 非常 連絡網을 維持, 自體 警備 强化 및 安全 措置를 강구하고

o 燃料, 食糧등 備蓄으로 큰 어려움은 없을 것으로 보이나,

- 必要時, 非常 食品등을 支援하는 方案도 講究 豫定임

o 또한 必要時 KAL 特別機 追加 投入하여

- 僑民撤收 便宜를 最大한으로 提供할 豫定

0167

o 撤收 支援班 派遣

- 中東 地域 勤務 經驗者중 中堅 職員 2명을 요르단에 派遣 僑民 撤收를 支援中에 있음

o 關聯 部處와 緊密히 協助하여

- 僑民 安全 및 撤收에 萬全을 기할 것임

o 政府는 또한 避難 撤收 僑民의 事後 對策을 講究키 위하여 8.24 關係 部處 會議를 갖고

- 무의탁 僑民의 歸國後 生活 對策과
- 正常 回復時까지 合宿 問題,
- 融資 또는 職場 斡旋 問題등을 協議하였음

o 公館 家族 및 非必須要員, 撤收 努力

- 駐이라크 公館 家族 15명 撤收
- 駐쿠웨이트 公館 家族 27명 撤收

4. 쿠웨이트 駐在 我國公館 維持

가. 現　況

o 이라크 政府는 8.24. 子正까지 쿠웨이트 駐在 모든 外國公館을 閉鎖할 것을 要請하였으나,

- 8.25. 現在 64개 駐在 公館中 17개 (18) 公館이 撤收決定, 47개 公館은 殘留中임

0168

o 이라크의 閉鎖 要請을 無視한 外國公館들에 대해 斷水, 斷電 措置

- 閉鎖時限 以後 特別한 强制的 退去등 措置를 취하지 않았음

o 이라크 公報長官은 8.25. "외국공관 폐쇄명령을 무시한 외교관에 대해 무력을 사용하지 않을것이나 외교관 특권 및 제반편의 제공은 받지 못할것"이라고 언급

나. 我國公館員

o 我國은 유엔 安保理 決議 661 및 664를 遵守하여 公館을 계속 維持하고 있으며 公館長 및 殘留 公館員은 현재 모두 安全한 것으로 確認 되었음

0169

이라크-쿠웨이트 事態 關聯 対応(II)

1990. 8. 28.

外 務 部

0170

1. 쿠웨이트-이라크 事態 새로운 動向

가. 유엔 安保理 부분적 武力使用 承認 決議

o 美國의 交涉力 總動員,

- 安保理 5個 常任理事國의 贊成을 包含
  13:0:2로 決議 成功(8.25)

o 決議要旨 :

- 經濟봉쇄 徹底履行위해 必要時 武力使用 承認

나. 유엔 事務總長 仲裁 努力

o 8.26 "케야르" 事務總長 仲裁 用意 表明,
  "후세인" 大統領과 會談 提議

- 이라크側, 會談 開催 歡迎

- 美國側, 事務總長 仲裁 努力에 不反對

0171

2. 駐쿠웨이트 大使館 폐쇄문제

가. 이라크 政府 폐쇄 要求

- ㅇ 모든 外國公館 8.24 자정까지 폐쇄 要求
- ㅇ 拒否公館에 대해 外交特權 剝奪, 斷水, 斷電 威脅

나. 美國側 要請

- ㅇ 8.24. 美國務部는 共同步調 취할것을 各國에 要請
  - 美國은 公館維持 立場 固守
- ㅇ 現在 64個 公館中 15個 公館 撤收 決定
  - 30個 公館은 殘留中(19個國은 未確認)

다. 我國公館 現況

- ㅇ 時限(8.24자정) 以後에도 公館 維持
  - 物理的으로 不可避時 大使判斷下 出國(活動 一時的 中斷)토록 既指示
- ㅇ 蘇秉用大使等 4名 身邊安全 確認
- ㅇ 8.24後 杜絶된 通信(8.27 16:20) 再開

0172

o 이라크側, 8.27 19:00부터 我國公館에 대해 斷電 通報

- 斷水 및 通信 再杜絶 豫想

라. 向後 對策

o 大使官邸로 移動後 關係國 動向 把握

o 物理的으로 不可避한 狀況을 勘案, 安全歸國 推進 檢討中

3. 僑民 保護

가. 撤收 現況

(90.8.28 08:00 現在)

國別	僑民總數	撤收者	殘留者
쿠웨이트	605	592	13
이라크	712	294	418
計	1,317	886	431

* 쿠웨이트, 殘留希望僑民 除外 全員이 撤收 完了

0173

나. 이라크 僑民撤收 繼續

o 이라크內 殘留 418名은 대부분 我國 建設業體 所屬 勤勞者
  - 이라크 발주처의 承認, 出國許可等 節次로 撤收 遲延
  - 公館과 業體 緊密協調下에 迅速한 撤收 繼續 推進中

o 必要時 大韓航空 專貫機의 追加 投入도 檢討

다. 무의탁 僑民 對策

o 쿠웨이트 撤收 무의탁 僑民, 政府에 支援을 要請 (約 60世帶, 200名)

o 8.24 關係部處 對策會議에서 다음 基本方針 協議
  - 撤收 所要經費는 政府에서 負擔(豫備費 要請中)
  - 歸國後에는 1次的으로 自助的 解決토록 誘導
  - 其他 支援 可能分野에 대해서는 關係部處間 協調, 支援方案 講究

0174

4. 多国籍軍 活動 緊急 支援

가. 美側 支援 要請

o 美國 政府는 8.26(日) 駐韓 美大使館을 통하여, 貨物輸送便 緊急 支援을 要請
  - 美國 로스엔젤레스 附近 엘 토로(El Toro) 基地로부터 사우디아라비아까지 軍需物資 輸送用 貨物機 1台

나. 緊急支援 措置内容

o 外務部가 交通部, 大韓航空, 駐韓 美大使館, 美8軍等과 協議

o 다음 日程(서울시간 基準)으로 大韓航空 保有 貨物機 (B-747) 1台를 緊急 支援토록 措置
  - 8.28(火) 18:00 美國 엘 토로 基地 出發
  - 8.29(水) 13:20 사우디 到着

다. 關聯 参考事項

o 輸送能力 : 1回 約 100톤

o 豫　算 : 1回 約 50萬弗(政府 豫備費에서 追後 精算)

- 끝 -

0175

駐쿠웨이트公館員撤收問題

1990. 8. 30.

外　　務　　部

0176

이라크의 쿠웨이트내 外國公館 폐쇄 方針에 따라, 駐 쿠웨이트 大使館의 機能 遂行이 物理的으로 不可能하므로, 公館 活動의 一時 停止 및 公館員 撤收 問題를 아래와 같이 措置 하였음을 報告 드립니다.

現 況

- o 我國은 유엔 安保理 決議 ~~661~~662號 및 664號를 遵守,
  - 이라크 要請 時限인 8.24 以後도 公館을 繼續 維持,
- o 公館長 包含 必須要員 4名 殘留
  (소병용 대사, ■■■■■■, 최종석 영사, 김영기 외신관)
- o 8.24 以後 쿠웨이트內 外交官 免責 特權 喪失, 外交官 車輛 運行 禁止
- o 이라크는 8.27 부터 我國 公館에 대한 斷電, 斷水 措置
- o 我國 公館 8.25 부터 通信 杜絶

0177

o 이라크는 外國 公館에 대한 强制 退去等 武力 不使用 方針 表明

o 8.29 以後 非常通信機 完全 故障 報告(벨기에 대사관 경유)

各國 公館 撤收 動向

o 쿠웨이트 內 64個 外國公館中 24個國 撤收(현황 별첨)

- 소련, 중국, 일본, 태국, 인도, 필리핀등

o 東南亞, 東歐 및 北歐 一部國家 公館 8.24 以後 撤收 增加 趨勢

檢 討 意 見

o 걸프事態는 長期化 展望

o 쿠웨이트內 僑民 撤收 事實上 完了(잔류 희망 교민 9명은 撤收 固辭)

o 斷電, 斷水, 通信 杜絶等 事態 惡化에 따른 公館의 正常業務 遂行이 不可能

o 時限인 8.24 以後 公館 維持로 合併 不認定 立場 충분히 闡明

0178

ο 美國도 斷電,斷水等 事態에 對備가 없는 公館 撤收 不可避性 認定

ο 公館員의 健康 危險 漸增

措 置

ο 9.2 자로 暫定 撤收 指示(주 이라크 대사에 통보 훈령)

ο 美側에 事前(8.31) 通報 豫定

- "현지 여건 악화로 계속 잔류 불가능시 공관장 판단으로 철수토록 지시" 했다는 內容 通報

ο 소병용 大使 및 정參事官은 당분간 隣接國(터어키)滯留

(최영사는 카타르 부임, 김외신관 귀국)

ο 소大使 一行 이라크 出國後 公式 發表와 別添 代辯人 聲明 發表 豫定

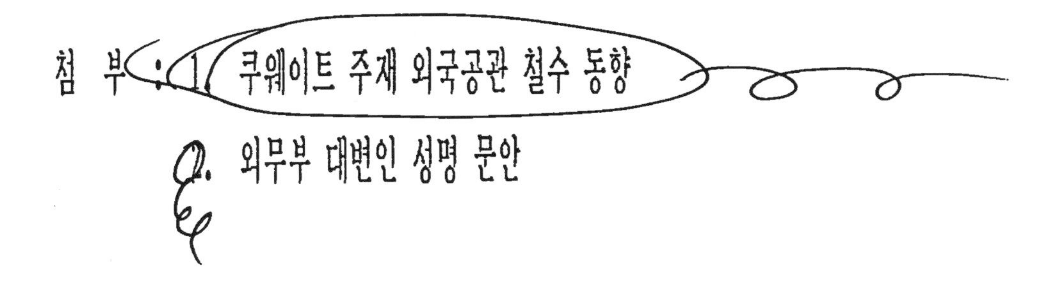

첨 부 : 1. 쿠웨이트 주재 외국공관 철수 동향

2. 외무부 대변인 성명 문안

0179

쿠웨이트 주재 외국 공관 철수 동향

(90.8.30. 현재)

구 분	지역별	국 가 명
1. 철수 결정 (24개국)	아주 (7)	인도, 말련, 스리랑카, 필리핀, 태국, 중국, 일본
	미주 (2)	브라질, 베네주엘라
	구주 (8)	소련, 체코, 핀랜드, 스위스, 오지리, 스웨덴 헝가리, 터키
	아중동(7)	바레인, 사우디, 요르단, 레바논, 수단, 나이지리아, 모로코
2. 잔 류 (40개국)	아주 (5)	한국, 호주, 방글라데쉬, 파키스탄, 인도네시아
	미주 (3)	미국, 카나다, 쿠바
	구주(15)	영국, 벨지움, 불가리아, 덴마크, 프랑스, 노르웨이, 서독, 동독, 그리스, 이태리, 유고, 네덜란드, 폴란드, 루마니아, 스페인
	아중동(17)	아프가니스탄, 알제리, 이집트, 가봉, 이란, 이라크, 리비아, 모리타니아, 니제르, 오만, 카타르, 세네갈, 소말리아, 시리아, 튀니지, 아랍에미리트, 예멘

(참고사항) - 동남아, 동구 및 북구 일부국가 추가 철수 예상

0180

주 쿠웨이트 대사관 활동 일시중단 관련, 외무부 대변인 성명

대한민국 정부는 주 쿠웨이트 대사관의 활동을 1990.9.2 자로 일시 중단하기로 결정 하였다. 이 조치는 현지사태 악화로 대사관의 기능 수행이 물리적으로 불가능하게 된 것으로 판단되어 취한 것이다.

동 조치와 관련, 이라크의 쿠웨이트 합병을 무효로 규정한 유엔 안보리 이사회 결의를 준수하는 대한민국 정부의 기본 입장에 아무런 변동이 없음을 밝힌다.

소병용 대사와 공관원은 동 일자로 쿠웨이트를 출국하였다.

0181

THE GOVERNMENT OF THE REPUBLIC OF KOREA HAS DECIDED TO SUSPEND TEMPORARILY THE FUNCTION OF THE EMBASSY OF THE REPUBLIC OF KOREA IN KUWAIT AS OF Sept. 2, 1990.

THIS MEASURE HAS BEEN TAKEN IN CONSIDERATION OF THE DETERIORATED SITUATION IN KUWAIT WHICH MADE THE EMBASSY UNABLE TO CONDUCT ITS NORMAL FUNCTION.

THE TEMPORARY SUSPENSION WILL IN NO WAY AFFECT OUR BASIC POSITION TO RESPECT RELEVANT U.N. SECURITY COUNCIL RESOLUTIONS 662(1990) AND 664(1990)

AMBASSADOR BYUNG-YONG SOH AND THE STAFFS OF THE EMBASSY OF THE REPUBLIC OF KOREA IN KUWAIT WERE INSTRUCTED TO LEAVE KUWAIT AS OF THE SAME DATE.

0182

공 란

공 란

공 란

공 란

공　　　　　란

공　　란

공 란

공 란

공　　란

공 란

공 란

공 란

공 란

공 란

공

외교문서 비밀해제: 걸프 사태 6

걸프 사태 대책 및 조치 1

초판인쇄 2024년 03월 15일
초판발행 2024년 03월 15일

지은이 한국학술정보(주)
펴낸이 채종준
펴낸곳 한국학술정보(주)
주 소 경기도 파주시 회동길 230(문발동)
전 화 031-908-3181(대표)
팩 스 031-908-3189
홈페이지 http://ebook.kstudy.com
E-mail 출판사업부 publish@kstudy.com
등 록 제일산-115호(2000. 6. 19)

ISBN 979-11-6983-966-2 94340
979-11-6983-960-0 94340 (set)

책에 대한 더 나은 생각, 끊임없는 고민, 독자를 생각하는 마음으로 보다 좋은 책을 만들어갑니다.